企业信息篇

Enterprise information report

西安重装渭南光电科技有限公司自主知识产权的“高光效大功率LED防爆照明灯具”产品经陕西省科技厅成果鉴定为领先国内LED行业，该产品应用新技术填补了国内煤炭、石油、化工等特殊行业领域LED防爆照明应用的空白。公司被纳入了“中国绿色照明合作伙伴”成员单位及陕西省渭南市LED产品推广工作领导小组成员，并与渭南市下辖的15个县市区签订了LED照明示范工程的节能改造合同。这一引领和示范作用将加快陕西省LED的使用步伐，为实现陕煤业化集团的大发展战略，促进陕西经济和谐稳定快速发展，奠定坚实的产业基础。

“西重光电”坚持以科研为先导，以“绿色节能、低碳环保，打造特殊行业LED安全照明第一品牌”为自己的神圣使命，始终致力于高光效大功率LED封装及应用产品的研发及生产，创新开发解决煤炭、石油、化工等特殊行业领域。为解决特殊行业领域的绿色节能安全高效的照明问题，如：功率通透式散热结构光源箱和电源箱分离式结构已得到广泛应用；电源控制技术、智能化路灯、隧道灯科研成果已投入生产，年产灯具总功率达约10.95兆瓦，在同等照度下的耗能相当于卤素灯的五分之二，全年可为国家节电124.8万度。西重光电“高光效大功率LED防爆照明灯具”在集团煤矿井下得到广泛应用，产品满足井下各项照明指标，产品质量安全可靠及一流品质，在市场实际应用中被客户一致性认可。这不仅对提升陕西省半导体与LED照明产业发展，也对电子信息产业和能源产业整体形象和实力，均发挥了重大的产业推动和发展促进作用。

“西重光电”结合LED照明技术的优势，特别是对特殊行业领域LED防爆照明产品、数字化矿山安全管理系统的研究开发及应用上，在煤矿井下节能减排最具代表性的三个系统照明应用项目“黄陵矿业工程、红柳林全井亮化工程、王村矿全井”的成功实施，在灯具选型上做到科技环保、造型别致，在总体效果上追求卓越，量身打造了系统照明方案，力求在细节上精益求精，从不同的方面反映出煤矿井上、井下环境美和安全发展、绿色发展、民生发展，让矿区人感受生活的温馨，不但将LED在井下推广使用，而且在煤矿地面等也得到应用，既满足功能性照明要求，而且亮化美化整个矿区，取得良好的LED应用效果，既建设幸福矿区，又为煤矿安全生产保驾护航。

“西安重装渭南光电科技有限公司”（以下简称西重光电）始终坚持走自己的特色化发展之路，在立足现有LED从封装、SMT/THT、终端应用的产品基础上，紧紧围绕技术研发、检验检测、工程研究三大科研中心从省级到国家级的规划发展轨道，不断强化从煤矿、石油、化工等井下LED照明产品，到地面市政公路、隧道LED照明产品，同步拓展到民用、景观LED亮化照明产品及LED显示屏产品的生产制造，快速完善市场主打产品品质及应用种类，夯实自身和市场基础，提升企业与科技实力水平，力争“十二五”末实现陕煤化从煤矿井下LED照明开始到地面厂矿，全面使用LED照明灯具，创新井下LED防爆照明，改善安全环境，使产品最终覆盖与之相近的其他领域，将LED产业作为陕煤化集团发展的绿色节能版块发展壮大，充分用好集团内部及国内外市场资源，走出国门，争做特殊行业LED防爆照明应用的领军。

“西重光电”于2012年10月底实现了整体竣工验收，目前已投入正常的生产运行。“西安重装渭南光电科技有限公司”在三年快速发展的过程中已成为了省级高新技术企业，拥有省级认定的技术中心科研平台和自己独特LED照明行业领域的核心竞争力。公司在建设周期总共24个月不到边建设、边生产、边销售的时间里实现了快速发展，企业建立了光电技术研究中心，申请专利20余项，成功地获得了省级企业技术中心认定，同时被认定为省级高新技术企业。“西重光电”历经了三年的诸多资源整合运作，在产线建设还未投入正式生产的情况下，2011年实现销售收入1.1亿元，2012年实现销售收入1.3亿元。

公司拥有以西安国家航天基地光电技术研究中心为窗口的创新体系、以渭南高新开发区为LED光源集成与封装、大功率LED防爆照明灯具、LED显示屏的生产制造基地，以10多年主攻煤炭、石油、化工等特殊行业防爆照明技术研究及工程实施为经验基础，以LED自主知识产权为产业发展科技，以电源驱动、集成光源、灯具结构及二次光学等技术设计领域尖端人才为团队优势，配以数字化矿山六大安全系统与智能控制等较为完整的行业应用产品为主导，以国内领先的主要核心技术和近50多个安全防爆证书。

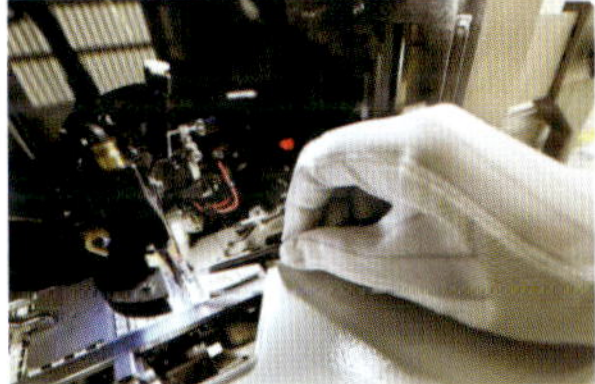

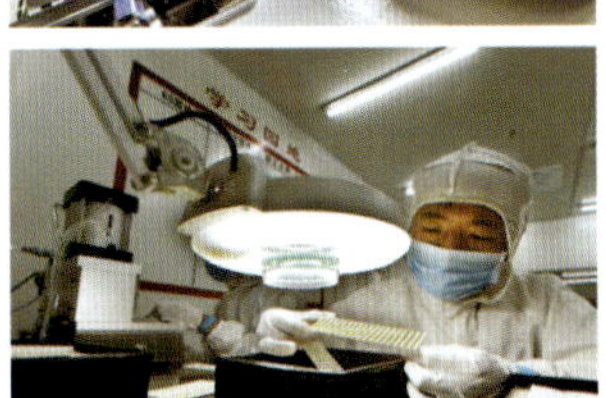

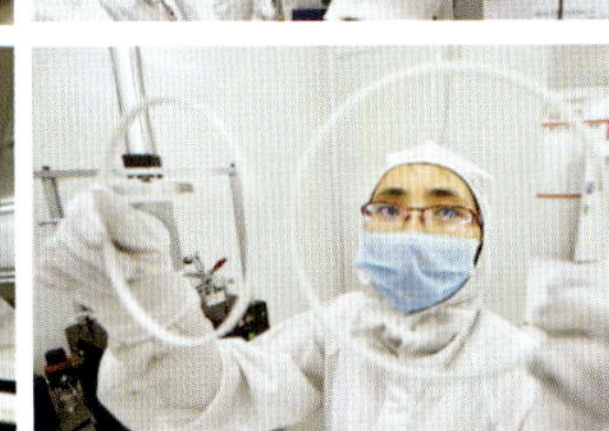

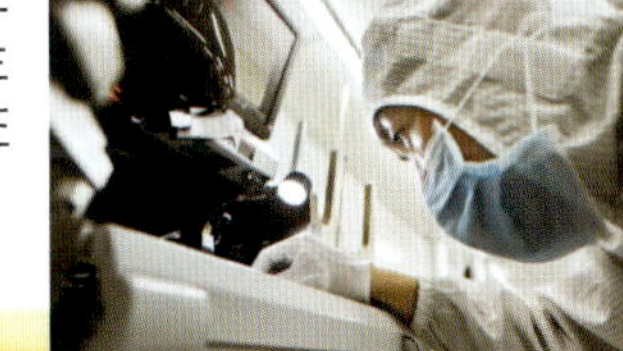

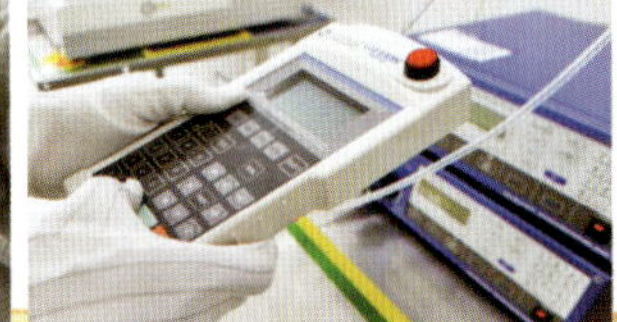

公司自主知识产权的“高光效大功率LED防爆照明技术”与产品应用来受到了国家节能环保部门领导人的高度关注，并给予了企业与LED高光效大功率防爆产品一流品质的高度评价。

聚焦“陕煤化集团多元化互补发展”规划

西重光电LED防爆照明
绿色安全节能 靓化 煤矿井下蓝天

“党的十八大报告提出，要把生态文明建设放在突出位置，融入经济建设、政治建设、文化建设、社会建设各方面和全过程，这意味着在其他四项建设中要时刻考虑生态问题。”中国将通过有组织、有计划、科学地优化LED行业全产业链，运用LED生产碳排放评估技术和方法，降低产品或服务的碳排放，提高企业竞争力，避免来自欧美国际贸易“碳壁垒” 压力，使中国LED行业跟上世界先进国家发展步伐，促进中国LED产业健康发展。

“陕西煤业化工集团有限责任公司”（以下简称陕煤化）为应对国际“气候变化”和“低碳发展”将LED产业纳入集团绿色发展战略，聚焦陕煤化“十二五”多元化互补规划，做大做强“西安重工装备制造集团有限公司”之LED高科技产业板块，

快速推进陕西省LED光电产业发展，力求通过提供LED照明节能低碳服务的商业模式创新，构建利益相关方共赢的资源配置机制，构建LED产业可持续性强的低碳行为为利益“生态链”为指导思想，确保陕煤化集团健康强劲发展的持续造血功能，体现“绿色低碳、节能环保，让西重光电LED将煤矿由内而外照亮”的社会效益，真正实现陕煤化集团除煤炭、化工两大主能源产业板块外，又一新兴绿色新光源高科技产业的崛起，稳步进军世界500强。

陕煤化集团通过产业结构调整，全资设立的“西安重装渭南光电科技有限公司” LED光电产业园属省级重点产业化项目，于2010年11月23日正式奠基，由陕西省委书记赵正永等亲自主持奠基仪式。该项目在施工建设期间，陕西省委书记赵正永两次实地指导工程进度；陕西省委常委、常务副省长娄勤俭、副省长李金柱等领导也先后到公司考察项目运行进展情况。

陕煤化集团为将“特殊行业LED防爆照明”的高精尖技术做实做大做强再创新，加大对国内LED企业“绿色光源技术”研发和LED节能产品推广力度，率先在集团内部的黄陵矿、红柳林矿、王村矿打造了三大不同规模和特色的井下井上LED照明节能样板工程，被国家能源局局长关注列为全国煤矿行业重点推广示范工程；“西重光电”也被陕西省渭南市国家级高新区列为“打造全国特殊行业LED安全防爆照明产业”的重点扶持龙头企业。

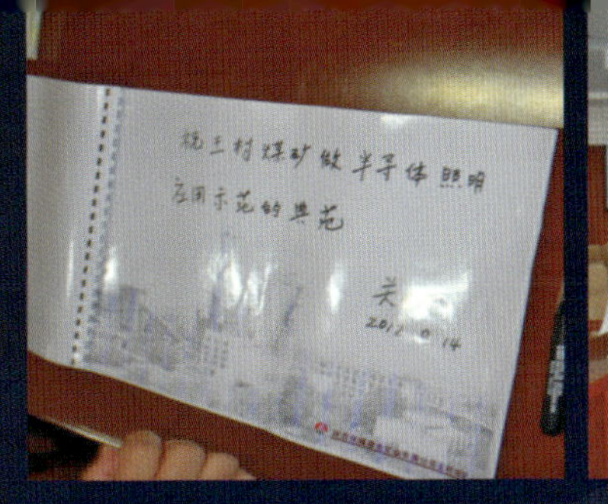

陕煤化集团作为以传统能源为主业的省属大型国有企业，在董事长华炜、总经理杨照乾的战略决策和指导下，陕煤化集团在积极实施产业转型升级、产业结构与产品结构调整优化的过程中，始终坚持节能减排、安全环保、改善环境的理念，率先引领并成功推动了全国特殊行业领域LED照明节能减排，在集团内部取三个规模大小均存在差异化的黄陵煤矿、红柳林煤矿、王村煤矿做应用试点，打造了融合IT智能管理的LED节能照明样板工程，并以成功的经验由国家能源局牵头向全国煤炭、石油、化工企业进行LED防爆照明的示范推广。LED在煤矿井下及石油化工等特殊环境中应用，使其环境发生很大变化，安全得到保证，节能减排取得很大成绩。把LED产业链做强做大，提升品牌的知名度，实现跨越式发展，促进企业经济效益和社会效益的同步飞跃，为陕西省的节能减排、低碳环保尽责尽力，是“西安重装渭南光电科技有限公司”永不停止的追求目标。

西安重装渭南光电科技有限公司聚焦煤炭、石油、化工等特殊行业前沿LED防爆照明发展趋势，承前启后，继往开来。为着眼陕煤化集团多元互补发展的创新驱动大战略目标，提升集团高新技术整体水平与市场竞争力、以科技创新为核心，快速抢占煤矿、石油、化工等特殊行业的LED防爆照明产业制高点，主导产学研合作，强力推进科技项目研发，努力促进科研成果转化，支撑陕煤化集团LED绿色照明引领特殊行业安全、高效生产，全力打造LED新光源一流企业，上下联动协同创新，强化LED安全防爆照明在陕煤化集团绿色节能产业板块中的创新主体地位，共同推进节能低碳新能源的创新型国家建设，实现陕煤化集团稳步走入世界500强。

SHCCIG

让矿工们感受到科技的力量

愉悦服务
愉悦体验

Enjoy The Service
Enjoy The Experience

北京首都国际机场股份有限公司

Company Profile

北京首都国际机场股份有限公司（简称“首都机场股份公司”）成立于1999年10月15日，是以机场管理和机场运行服务保障为主业的大型国有控股企业。

首都机场现拥有三个航站楼、三条跑道、两个塔台同时运营，年旅客吞吐能力为8200万人次，其中3号航站楼建筑面积约100万平方米，是目前世界上最大的单体航站楼。

目前，首都机场通航51个国家104个国际航点，在首都机场运营的航空公司共94家。2011年，首都机场的旅客吞吐量达到7867万人次，世界排名第2位，成为当今世界上增长速度最快和最具发展潜力的机场之一。2011年首都机场ACI旅客满意度达首次超越香港机场,全球排名第3位，并成为内地首家Skytrax四星级机场。

历经十几年的发展，首都机场股份公司确立了“到2015年，将北京首都国际机场建设成为大型国际枢纽机场”的战略目标。首都机场将始终贯彻“倡行中国服务，打造国际枢纽”的发展理念，搭建起连通国际的航空平台，充分发挥国内国际桥梁作用，为北京市国际化水平提升做出更大贡献。

Brand Introduction

Enjoy The Service Enjoy The Experience

首都机场股份公司始终以“践行中国服务，展示国门形象”为使命，打造具有世界领先水平、富有民族文化底蕴的“中国服务”特色品牌。品牌核心理念为“愉悦服务、愉悦体验”。“愉悦”的重点是悦己悦人，首都机场不仅仅要提供愉悦，还要创造愉悦、传递愉悦、感受愉悦、体验愉悦，让愉悦层层渗透，细细品味。

“愉悦服务、愉悦体验”，也是首都机场对“中国服务”理念最好的演绎。“愉悦服务”强调主体，体现服务的主动性和积极性；“愉悦体验”强调客体，体现的是以客户为导向，力求为旅客打造“愉快、欢悦”的心理体验。“愉悦服务、愉悦体验”，不但对服务的主客体关系进行了诠释，还是首都机场对“中国服务”概念的特色化提炼和感性化的体验，凝结了首都机场“中国服务”的核心。

绿色机场建设
Green Airport Construction

首都机场不仅重视企业自身的可持续发展，也时刻关注与当地环境的协调发展。通过持续努力提升环境管理专业水平，传递和扩大企业的环保影响力，打造“绿色国门空港”。

机场节能减排

——成立专门的节能降耗小组，负责在机场范围内全面开展节能降耗工作；

——首都机场于2009 年完成碳盘查工作，成为国内首家自主开展碳盘查的机场；

——首都机场在3号航站楼全面使用了桥载设备替代APU，每年可以为航空公司节省航油约1万吨，减少二氧化碳排放约3万吨；

——推广大容量交通，减少尾气排放，2011年首都机场大容量交通旅客运载能力同比2010年增长6%。

噪声管理

——国内首家实时监测航空器噪声的机场，机场周边规划设置23个监测点，24小时监测分析飞机噪声对机场周围敏感区域的影响；

——协调航空公司将老旧机型更换为更安静环保的先进机型。

水资源管理

——首都机场建设了东、西两座污水处理厂，污水处理厂设有污水在线监测系统，处理后的排放废水100%达到国家标准；首都机场在航空器定点除冰区域建造废液回收渠，目前除冰液已经做到了100%回收。

绿色航站楼

——3号航站楼的楼体设计采用全玻璃幕墙，减少外墙吸收非控太阳能，通过调整玻璃幕墙角度，在保证室内温度情况下，减少耗能；

——屋顶则采用天窗式设计，白天采光良好，利用日光调节楼内温度。在正常的运营时间内最大限度地利用阳光；

——楼内安装先进智能照明系统，可通过设定时间表、传感器，可获取航班信息及人体感应照明等多种模式实现自动控制。

倡导环保意识

——3月27日“地球一小时”节能减排公益活动，首都机场航站楼在确保生产运行正常的情况下，减少整体照明，比平日减少用电量约20%；

——结合6月5日世界环境日，在3号航站楼开展“倡导节能减排·建设绿色机场”的系列宣传活动，积极推广节能减排，倡导低碳生活、绿色出行的理念；

——首都机场正式发布《首都机场旅客绿色公约》，建立起与旅客共同提升环保意识，落实环保行动的承诺。

招商局集團有限公司
CHINA MERCHANTS GROUP LIMITED

招商局集团有限公司(以下简称招商局)总部设于香港，是中央直接管理的重要国有骨干企业，为香港四大中资企业之一。招商局业务主要分布于中国大陆、香港、台湾，东南亚、非洲等极具活力和潜力的新兴市场，2011年，招商局利润总额238亿元（人民币，下同），母公司净利润138亿元，在各央企中排名第8位。截至2011年底，招商局拥有总资产3416亿元；管理总资产2.96万亿元。

招商局是中国民族工商业的先驱，创立于1872年晚清洋务运动时期，曾组建了中国近代第一支商船队，开办了中国第一家银行、第一家保险公司、第一家电报局、修建了中国第一条铁路等，在中国近现代经济史和社会发展史上具有重要地位，在中国社会的各个历史发展关头都发挥了独特的作用。

1978年，招商局独资开发了在海内外产生广泛影响的中国第一个对外开放的工业区——蛇口工业区，并相继创办了中国第一家商业股份制银行——招商银行，中国第一家企业股份制保险公司——平安保险公司，为中国改革开放事业探索提供了有益的经验。

目前，招商局业务主要集中于交通(港口、公路、能源运输及物流、修船及海洋工程)、金融(银行、证券、基金、保险)、房地产等三大核心产业。

招商局以其悠久的历史和雄厚的实力，在海内外工商界有着广泛的影响。

招商局国际有限公司（以下简称“招商局国际”）是招商局旗下经营港口业务的旗舰公司，在港口行业中具有显著地位。公司总部设于香港，于1992年在香港联合交易所上市，是首家在香港上市的红筹公司（香港联交所股票代码：0144），并于2004年9月晋身恒生指数成份股，目前位居香港最重要的上市公司之列。招商局国际现已成为全球港口业享有声誉的公共港口营运商，于中国沿海建立了较为完善的港口网络群，所投资或拥有管理权的码头遍及香港、深圳、宁波、上海、青岛、天津、厦门、湛江等沿海地区并持有台湾高雄高明集装箱码头权益，此外招商局国际已成功布局斯里兰卡、尼日利亚、吉布提、多哥等海外港口。公司凭借多年的专业管理经验，自主研发了全球领先的码头操作系统与进出口综合物流管理平台,建立了完善的海运物流支持体系,可提供全方位的现代综合物流解决方案及高质量的工程管理，其专业卓越的服务盛誉业界。目前，招商局国际共投资参股的港口项目超过20个、集装箱泊位130余个，完成集装箱吞吐量超过6000万标准箱，其中于中国大陆的市场占有率超过三成。招商局国际所属各码头公司一直倡导建设绿色港口，尤其是旗下蛇口集装箱码头近几年先行先试，积极引领低碳潮流，全力打造绿色竞争力，创业界低碳运营典范。

蛇口集装箱码头

创低碳运营典范，合力打造绿色竞争力

要从根本上解决环境污染问题，必须改变现有的能源消耗结构，采用高效能源替代化石能源及使用清洁能源才能真正实现节能减排以建设“低碳交通体系”的要求。基于此，蛇口集装箱码头自2006年开始陆续实施了“轮胎式龙门起重机（也称“场桥”）“油改电”节能减排改造项目”、“船用供电系统节能减排改造项目”、“BYD纯电动巡逻车项目”以及“LED堆场照明节能减排改造项目”等。这些项目的实施改变了蛇口集装箱码头的能源使用结构，燃油的依存度从2008年的59%降低到2011年的24%，年节约能耗1.1万吨标准煤，减少二氧化碳排放3万吨。

◉ 轮胎式龙门起重机“油改电”节能减排改造项目

蛇口集装箱码头从2006年开始研究轮胎式集装箱龙门起重机的油改电方案，并率先于2008年构建了全球领先的、具有自主知识产权的集装箱码头“油改电”完整解决方案。该方案集供配电、安全滑触线安装、机上安装及自动集电小车等多个子系统方案为一体，其中自动集电小车更是获得了国际及国内发明专利。

轮胎式集装箱龙门起重机油改电不仅产生良好的社会效益，有效减少能源消耗，降低污染物及温室气体排放，还产生了良好的经济效益，有效降低了企业生产经营成本。目前蛇口集装箱码头的电场桥利用率已高达99.5%以上。自2008年全面改造开始至2011年，4年累计产生效益额9,964万元，平均年度效益额2,491万元。

◉ 船用供电系统节能减排改造项目

根据国际海事组织（IMO）数据表明，全球以重油、柴油为动力的船舶每年向大气排放1000万吨NOx，850万吨SOx，NOx和SOx是破坏臭氧层的主要污染物。而使用岸电技术不仅可以保障到港船舶在港口停靠的时候关闭辅机，而且可以有效减少船舶向周围大气环境排放NOx和SOx等所造成的污染，降低辅机工作带来的噪声影响，改善城市环境质量，同时也可降低船舶靠泊运行成本。

本项目在蛇口集装箱码头5~9号泊位建设船用供电系统，为到港船舶提供电力，以实现船舶靠港期间停止使用船舶上的发电机，而改用陆地电源供电，进而减少船舶靠港期间的污染。项目包括高压上船(6.6kV/60Hz)和低压上船(440V/60Hz)两种方案，两种上船方案共用1套变频电源装置。基本的方案是将10kV/50Hz的市电电源经变频电源装置转系统换为6.6kV/60Hz电源，通过电缆将6.6kV/60Hz的电源引送至泊位前沿（桥吊海测轨道）的岸电插座箱。

实施高压上船：船上高压电缆卷盘下放电缆(尾端配备标准插头)到岸电高压插座箱侧，将插头插接高压插座箱内，由船上同步装置启动岸/船电同步并网切换，给船舶供给岸基电源。最终靠港集装箱船舶发电机组停机，实现负载供电转移。

实施低压上船：将降压移动装置移置岸电高压插座箱侧，首先释放降压移动装置高压电缆卷盘并将电缆插头插接高压插座箱内，再释放降压移动装置的低压电缆卷盘，依次将9条低压电缆吊至船尾固定好，并将电缆插头插接到船上的岸电插座屏内；在停止船电供电之后，由岸电供到船上，即实现船上负载供电转移，靠港集装箱船舶发电机组停机。

1、高压船舶供电

在码头后方设置1座箱式变电站，在码头前沿高压坑内安装2套6.6kV-60Hz高压接电箱。每个岸电箱采用一路专用高压电缆引自箱式变电站。船岸之间连接电缆由船舶引下至岸电插座箱。如下图所示。

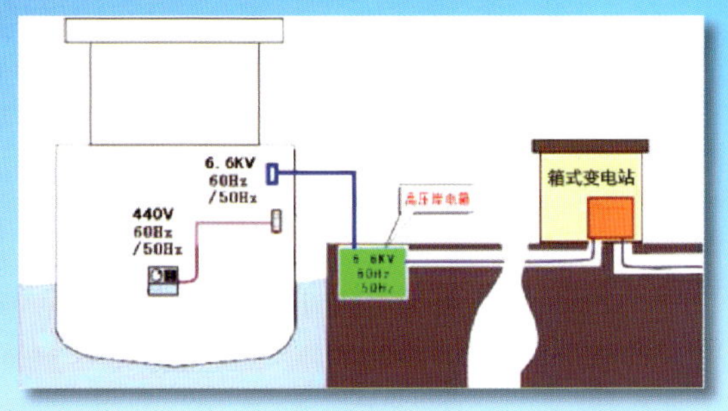

高压船舶供电示意图

2、低压船舶供电

本工程设置1套移动式降压供电装置，移动式降压供电装置电源引自6.6kV高压岸电插座箱，移动式降压供电装置出线引接至靠泊船舶，实现船舶供电。如下图所示。

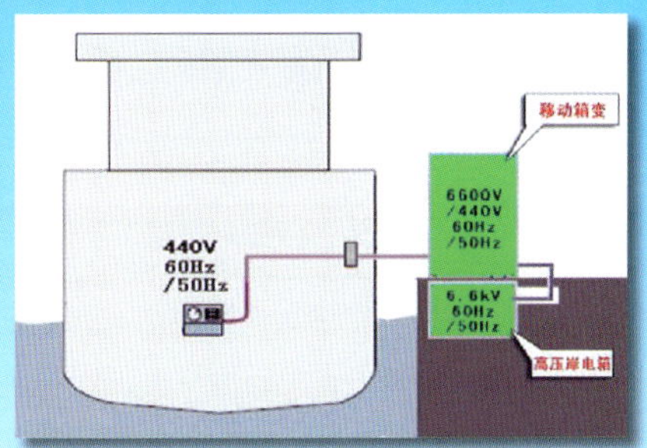

低压船舶供电示意图

本项目作为交通运输部在全国确立的三大岸电试点项目之一，其建设不仅具有前瞻性，而且在以下方面开创了国内同类技术应用的先河：

- 世界首套高低压双供船舶岸基变频供电系统----具备6.6kV及0.44kV两路变频输出；
- 国内首套按国际标准制造的船舶岸基变频供电系统----按照IEC/PAS 60092-510岸电标准制造；
- 国内首套由中国船级社监造的船舶岸基变频供电系统----包括开关柜、变频电源、变压器等在内的整套系统均由中国船级社监造，且遵循船级社船舶供电指南。

蛇口集装箱码头船用供电系统在设计、施工及监造中都选用了国内具有项目实施经验的供应商，瞄准国际集装箱码头远洋船舶的具体需要而量身定做，系统的普适性和先进性得到了最好的体现。

◉ BYD纯电动巡逻车项目

借助深圳市承办大运的契机，蛇口集装箱码头2010年成功引进了10台BYD纯电动汽车用于场内巡逻，替代原来使用的柴油皮卡车。BYD纯电动汽车的使用，不但降低了燃油的消耗，而且大大降低了维修成本。根据实际测算，10台BYD纯电动汽车能耗成本年节约35.7万元；若加上维修费的节约，每年能耗及维修费总节约计64.9万元。

◉ LED照明节能减排改造项目

蛇口集装箱码头码头现有高杆灯55杆、满负荷光源841个，总功率约1090kW。近年来，为节省用电成本，码头采用低功率LED灯按照1:1的比例替换现有大功率传统金卤光源的方案。

本项目具有良好的经济效益，主要体现在以下三个方面：

(1) 照明设备总功率降低，节电效益显著。蛇口集装箱码头目前所使用传统照明灯年耗电量 846 万千瓦时，更换 LED 照明后年耗电量估算为 339 万千瓦时，电费价格取 0.715 元 / 千瓦时计，则投产后每年可节省电费支出 362 万元人民币。

(2) 照明灯具使用寿命延长、人工维护成本减少。按计算周期为 8 年计，LED 灯源在整流器更换、光源更换、人工成本及机械成本等方面较传统照明灯降低约 300 余万元人民币。

(3) 由于电耗降低间接产生的二氧化碳排放量减少所产生的环境效益显著。LED 照明项目改造完成后，每年可减少 CO_2 排放量约 4500 吨。

蛇口集装箱码头在低碳运营的道路上不遗余力，以上举措不仅降低了公司的能源成本，减少了污染物，而且在与客户的互动中也树立了积极正面的形象，为公司的可持续发展创造了“绿色竞争力”品牌。在今后直至“十二五”期间，码头还将陆续开展自动化集装箱轨道龙门吊(Auto-RMG)、全电场桥过街、“太阳能”光伏发电以及基于 GPS 系统的拖车全场调度系统，这些创新措施的实施必将使码头未来的发展更加充满智慧与生机。

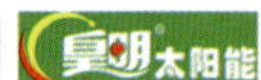

Me Pad
微排智慧机场/港口集成解决方案

微排地球战略不是梦，未来方舟工程更不是空谈。微排地球战略是给世界未来城市提供一种模版，提供一个可持续发展解决方案。太阳谷将与恶化的危机赛跑，在最短的时间和最大的范围内向全世界推广通过15年实验和磨练而获得的成功经验和模式。为全人类战胜危机，实现文明延续和可持续发展提供可再生能源“方舟”的全套设计方案和图纸，实践“微排地球”战略。

“Me Pad 微排智能集成解决方案不是一个设备，也不是一个系统，它给我们带来的是一种生活方式，是一种未来的生活方式。一种低碳、智能、时尚、舒适的生活方式，这种生活方式必将影响我们将来几十年的生活，不断地为人类生存环境做出贡献。”皇明说。

地址：山东省德州市经济开发区太阳谷大道 · 皇明日月坛大厦
网址：http://www.himin.com
全国免费服务电话：400-813-2222
Me Pad工程热线：0534-5089371 5089262
招商热线：0534-5089382

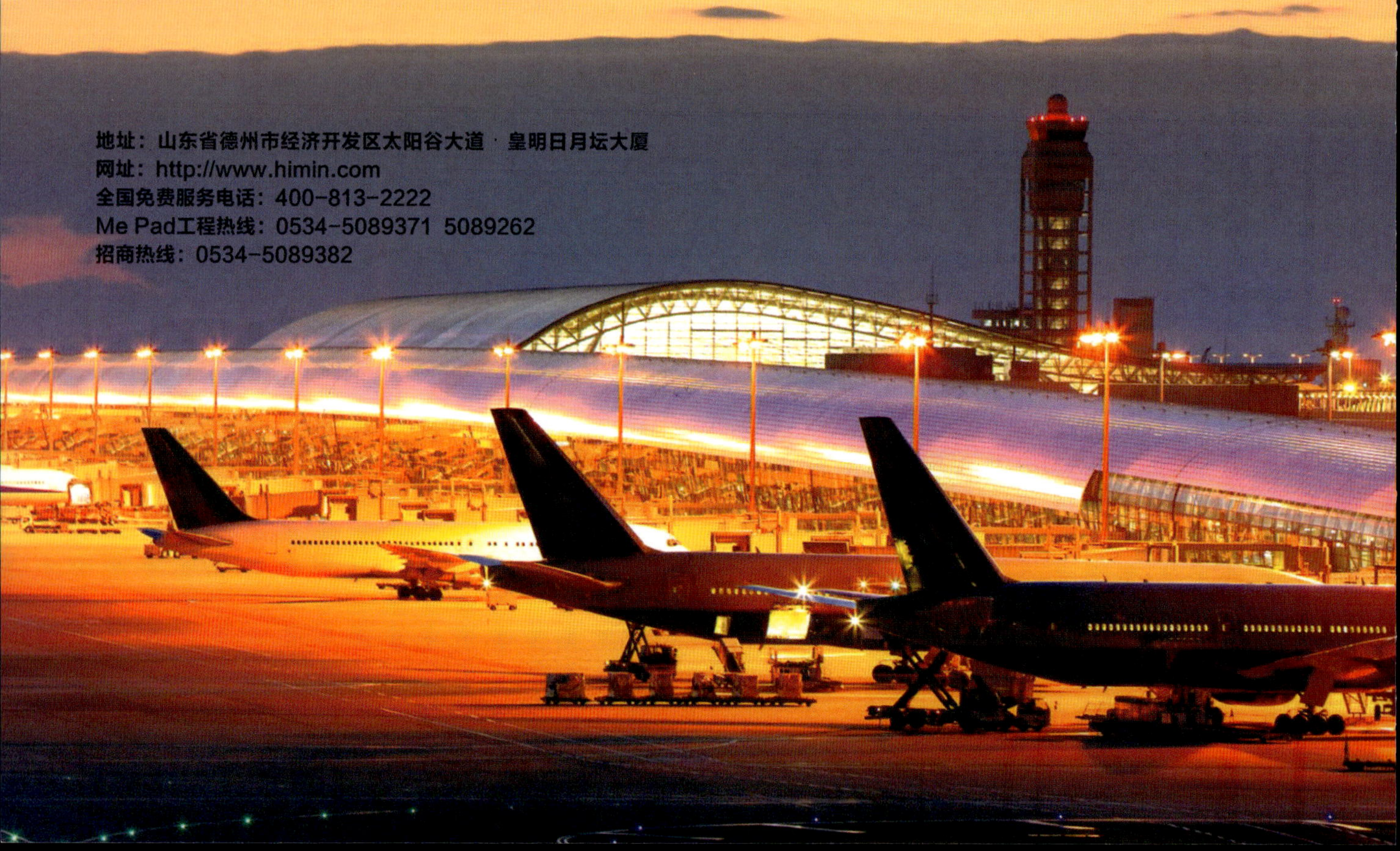

Me Pad微排智慧集成解决方案 ——微排机场

目前我国机场资源利用的各个环节存在很大浪费，节能型机场建筑将成为未来机场的发展趋势。机场节能建筑就是将太阳能热水、太阳能空调、墙体保温、节能门窗等产品和相关技术综合利用，且部分电力系统由太阳能供能。这样可以很大程度上实现建筑整体节能减排。

Me Pad之机场用电解决方案		光伏发电，最大限度降低机场用电能耗。
Me Pad之机场建筑节能解决方案	光伏建筑一体化	用新技术、新能源取代传统建筑材料，实现建筑更多的功能，打造节能舒适的环境。
	温屏节能玻璃	隔音降噪、隔热、过滤紫外线营造静谧空间，良好透光性更可最真切欣赏窗外风景。
Me Pad之机场候机室环境解决方案	美盾节能门窗	隔绝机场噪音，营造静谧的候机空间。
	新风系统	空气微循环置换系统，室内全天候输送新鲜空气。
Me Pad之机场运行、维护解决方案	“太阳能锅炉”热水供应技术	太阳能锅炉海量热水即开即热，连续阴雨雪天气也能给旅客温暖享受。
	吊顶辐射采暖、制冷技术	采暖制冷与建筑装饰相得益彰，提升机场品味。
Me Pad之机场景观亮化、照明解决方案	光伏路灯、光伏雕塑	机场道路照明、广场和园林绿地景观亮化，是安全航行的保障，更是由下而上的一道风景。
	阳光房	最大化引阳光入室，旅客候机、聚餐、洽谈、休息……均可在阳光下进行。

Me Pad之机场光热应用解决方案

1、“太阳能锅炉”热水供应系统

皇明集热器是为太阳能热水工程设计的绿色产品，通过与管路系统、控制系统、储水箱有机结合，组合成集热系统即“太阳能锅炉”。

● 系统原理

本系统通过集热器吸收太阳能量，真空管将吸收到的热量传递到联集箱中，联集箱通过管路连接将热水运输到集热水箱，热水直接或通过换热器加热后供用水末端使用。

● 应用实例

青海机场：满足机场过夜楼及机场工作人员生活用水需求

热水需求温度：55℃

热水需求吨位：40吨

热水设计保证率：60%

● 节能效益分析

集热面积	700m^2
年节标煤量	118.6吨
年CO_2减排量	308.4吨
年SO_2减排量	2.7吨
年氮氧化合物减排量	1.2吨

Me Airport Pad 微排智慧机场集成解决方案为您提供：

		机场节能系统					机场建筑节能系统					机场电力系统		机场亮化		Pad智控系统
		太阳能热水	太阳能制冷	太阳能采暖	太阳能与地源热泵结合	太阳能烟囱	美盾门窗	温屏玻璃	遮阳系统	墙体保温	新风系统	太阳能光伏并网	太阳能光热发电	太阳能照明、亮化	太阳能雕塑	
候机楼内外	候机区	●	√	√	√	√	√	√	√	√	√	√	●			
	贵宾区	●	√	√	√	√	√	√	√	√	√	√	●			
	商店	●	√	√	√	√	√	√	●	√	√	√	●			
	咖啡厅	●	√	√	√	√	√	√	●	√	√	√	●			
	洗手间	√	●	√	●	√	√	√	●	√	√	√	●			
	餐厅	●	√	√	√	√	√	√	●	√	√	√	●			
	跑道											√		√		√
	机场广场											√		√	√	
员工生活区	停车场						●			●	√	√		√		
	宿舍	√	√	●	√	√	√	√	√	√	√	√		√		
	澡堂	√	●	√	●	√	√	√	●	√	√	●		√		
	门诊部	√	●	●	●	√	√	√	●	√	√	√		√		
	俱乐部	√	√	√	●	●	√	√	●	√	√	●		√		
	银行	●	√	√	●	●	√	√	√	√	√	√		√		

备注：1、标注√项目表示对节能建筑建议必须应用；标注●表示可以选用；无标注表示不需使用。2、Me Airport Pad智控系统整体机场可选用一个大屏进行控制显示。

2、太阳能采暖、制冷系统

太阳能制冷系统利用太阳能集热产生的中低温热水作为热源驱动制冷机组进行制冷。其与季节匹配性好，夏季辐射量大时温度高需冷量大，此时，空调制冷量也最大。太阳能采暖是集热器将太阳能转化为热能供给机场冬季采暖。

● 系统介绍

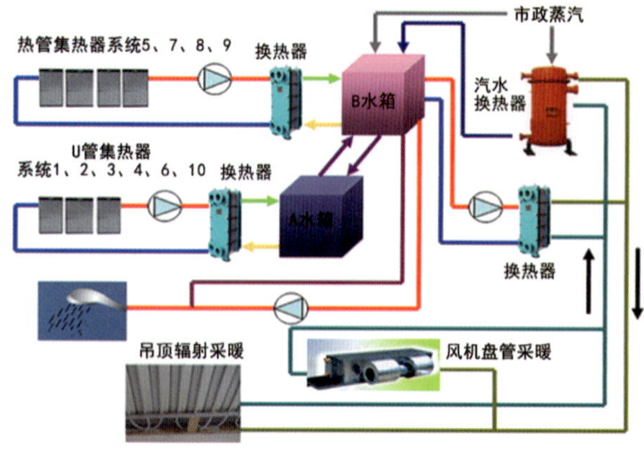

制冷、采暖原理图

● 系统分类

吸附式太阳能制冷系统（工作介质：硅胶—水）；吸收式太阳能制冷系统（工作介质：溴化锂—水）；太阳能除湿空调（热量提供：空气集热器）。

● 末端设备

毛细管网、风机盘管、吊顶辐射、地板采暖。

● 特点

（1）清洁无污染——清洁无污染无腐蚀的良性制冷介质；

（2）节能——太阳能制冷系统电力COP可达0.7；

（3）自动化控制——系统及机组均有专业控制柜可全自动运行；

（4）多种末端——温度可调适应毛细管网、风机盘管、吊顶辐射等多种末端设备。

Me Pad之机场建筑节能解决方案

1、墙体保温

● 工程案例参数

（1）墙体选择150mm厚聚苯板保温材料；

（2）外墙传热系数控制在0.375W/(m^2·K)；

（3）屋面选择硬质聚氨酯保温层；

（4）上人屋面传热系数控制在0.402W/(m^2·K)；

（5）种植屋面传热系数控制在0.364W/(m^2·K)；

（6）首层楼板保温层加厚，传热系数为0.533W/(m^2·K)。

2、遮阳系统

遮阳系统可以有效地阻挡射入室内的阳光，从而在夏季可以降低室内的冷负荷，起到节能的目的，同时遮阳系统与建筑完美地结合，混为一体更美观和谐。

● 产品系列

升降百叶智能遮阳、光电智能遮阳、竖百叶遮阳、横向百叶遮阳、集热器遮阳、可调百叶水平遮阳、拉幕遮阳、水幕遮阳。

● 产品特点

随心调节室内光线、调节室内温度、减小室内负荷、美化建筑外观、降低照明费用、智能控制。

● 产品效果

体验全智能未来生活、独特的建筑外观、节约能源。

3、温屏玻璃、节能门窗

● 温屏玻璃

产品特点

微粉尘、微能耗、微噪音、微UV。

● 美盾节能门窗

玻璃	温屏节能玻璃，K值<1.6
型材	德国进口瑞好优质多腔塑钢型材
五金件	德国诺托优质五金件，超过欧洲RAL-RG807/3要求
胶条	三元乙丙胶条，有耐老化性、耐臭氧性、耐候性
钢衬	增强钢衬，

国家建筑工程质量监督检测中心检测报告

节能达到国家最高10级标准；

密封达到国家最高5级标准；

隔音达50分贝；

防紫外线高达90%以上；

抗风压达国家4级；

实现自然通风并微粉尘。

● 阳光房

将候机室、用餐厅、洽谈室、休息室中采用天窗、玻璃幕墙等最大化引阳光入室，使旅客候机、聚餐、洽谈、休息……均可在阳光下进行。

4、新风系统

新风系统由风机、进风口、排风口及各种管道和接头组成。安装在吊顶内的风机通过管道与一系列的排风口相连，风机启动，室内受污染的空气经排风口及风机排往室外，使室内形成负压，室外新鲜空气便经安装在窗框上方（窗框与墙体之间）的进风口进入室内，从而使室内人员可呼吸到高品质的新鲜空气。

● 系统原理

新风系统是在密闭的室内一侧用专用设备向室内送新风，再从另一侧由专用设备向室外排出，根据在室内会形成的“新风流动场”，来满足室内新风换气的需要。

● 系统优势

（1）不用开窗也能享受大自然的新鲜空气；

（2）避免“空调病”；

（3）清除室内装修后积存的有害气体，有益于人体健康；

（4）调节室内湿度，节省取暖费用；

（5）有效排除室内各种细菌、病毒。

Me Pad之机场用电、亮化、照明解决方案

1、光伏发电

光伏组件按照一定数量串联组成单个太阳能电池方阵a、若干个太阳能电池方阵并联汇流后接入并网逆变器，通过逆变器将直流电转换为与交流电网同频率、同相位的正弦波交流电后并入市电网b、若干个太阳能电池方阵并联汇流后接入光伏控制器，后将电能存储在蓄电池里，供给直流负载使用或者通过逆变器供给交流负载使用。

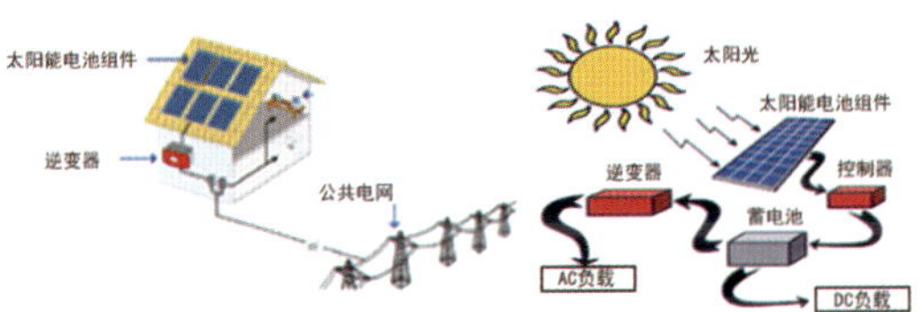

太阳能光伏发电原理图

● 系统分类

中小型并网光伏发电系统、大型并网光伏电站。

● 应用案例

济南机场与皇明强强合作，实施了机场微排节能亮化工程，同时将以全球领先的微排技术全方位助力实施绿色空港，推动民航微排机场标准的制定，以将这种经验在全国机场内推广。

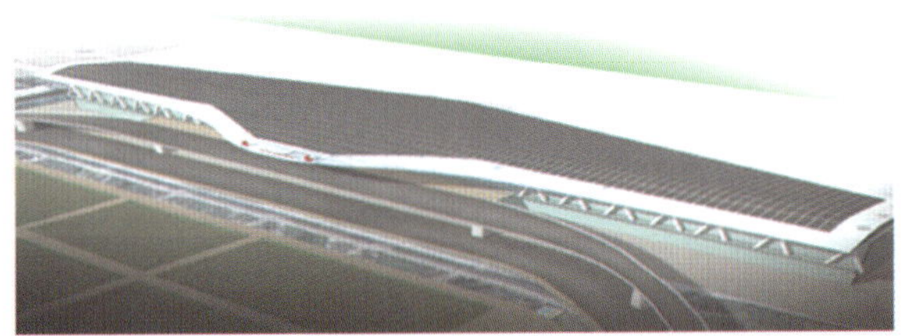
济南机场光伏工程

● 特点

（1）清洁无污染——清洁无污染的太阳电池组件；

（2）节能——用户侧并网，为建筑本身负载提供绿色电力并起到整体消峰（Peak Shaving）的作用；

（3）多种应用模式——建筑遮阳、幕墙亮化、屋顶遮阳均可；

（4）自动化控制——系统各元器设备均有专业控制柜可全自动运行；

2、机场照明及景观亮化

● 光伏灯具

太阳能光伏发电路灯：特异的造型构成独特的风景线，既解决照明问题又节能环保。

Me Pad也是一个智能的节能管理平台，代表着人类未来全新的生活方式，着眼于人类自救，更绿色、更智能、更舒适、更时尚。

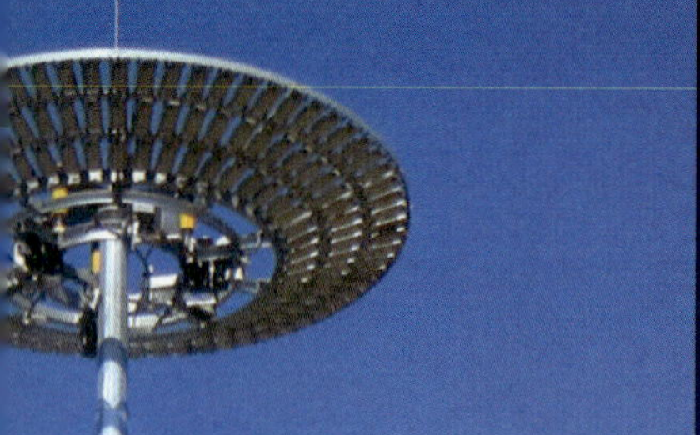

北京市首都公路发展集团有限公司

北京市首都公路发展集团有限公司（简称“首发集团”）于1999年9月成立，是北京市国有大型企业，负责北京高速公路建设、运营管理、筹融资和相关产业经营。集团注册资本305.78亿元，截至2010年底，集团总资产达到802.26亿元，员工队伍11000人。

首发集团成立以来，在北京市委、市政府领导下，始终秉承“替政府融资，为人民修路、以路为依托、谋企业发展”的基本宗旨，截至2010年底，共投资建成高速公路606.3公里，初步实现了首都高速公路放射线加环线的网络化格局。目前，集团负责管理的高速公路约757公里，包括京港澳高速、京藏高速、京哈高速、通燕高速、京开高速、京承高速、机场北线、机场南线、京平高速、京津高速、京新高速、机场第二高速、五环路和六环路，按照“快速、安全、舒适、畅通”的目标，服务管理水平不断提高。产业经营围绕高速公路主业，初步形成了交通工程、智能科技、物流枢纽、绿化等多元式集团化经营，经济效益逐年提高，部分业务已产生良好的经济效益，逐步进入主业与辅业相互促进、共同发展的良性循环。

路靠我发展　我靠路生存

展望未来，机遇与挑战并存，在新的发展阶段，集团公司将在市委、市政府的正确领导下，深入贯彻落实科学发展观，进一步解放思想，凝聚共识、坚定信心，真抓实干，毫不动摇完成建设任务，全面推广智能交通系统，以深化管理为基础，以改革创新为动力，以加强党建和廉政建设为保障，努力建设“人文高速、科技高速、绿色高速”，为集团实现快速发展、科学发展、安全发展、协调发展而不懈努力！

橡胶沥青防水

温拌沥青混合料施工

ETC专用车道

太阳能应用

现场热再生施工

边坡绿化

京包路温拌混合料施工

五环转体桥

五元桥

边坡绿化

广州市地下铁道总公司
Guangzhou Metro Corporation

公司概况
Company Profile

广州市地下铁道总公司成立于1992年，是广州市政府全资的大型国有企业，负责广州市快速轨道交通系统的工程建设、运营管理和附属资源开发经营。公司成立以来，以服务社会、造福人民为宗旨，全力以赴“建设好、运营好、经营好”地铁，着力打造“民生工程、精品工程、廉洁工程”，创造了良好的社会效益、经济效益和环境效益。近年来，公司先后荣获“全国文明单位”、“全国五一劳动奖状”、“全国模范劳动关系和谐企业”、“国家科学技术进步二等奖”、“全国内审先进集体”、“全国厂务公开民主管理先进单位”、“全国精神文明建设先进单位”、“全国内部审计领军企业”等荣誉称号。

建设、运营、经营等情况
Construction, Operation, Management And So On And So Forth

◉ 工程建设

广州地铁紧紧把握全国轨道交通大发展的难得时机，合理规划线网结构，精心策划施工组织，着力破解施工难题，在工程建设中加强“规范化、标准化、信息化、精细化”管理，逐步形成富有广州特色的地铁建设管理模式，工程进度控制、质量控制、投资控制、安全管理以及线网整体技术均处于较高水平。目前广州地铁已建成开通一至五号线、八号线、APM、广佛线等8条、总长共236公里的线路。根据最新批复的广州市新一轮轨道交通建设规划，至2016年还将力争新建成开通284公里地铁线路，包括六号线首期、广佛线西朗至沥滘段、六号线二期、七号线一期、九号线一期、四号线南延段、八号线北延段、十三号线首期、十四号线一期、知识城线和二十一号线，届时累计开通里程将超过500公里。

◉ 线网运营

随着广州地铁跨越式的发展，广州地铁进入了大线网运营时代，客流快速增长，目前日均客流量507万人次，承担了广州市35%以上的公交客流运送任务。公司始终以“安全、快捷、准点、舒适”的服务理念，精心组织运营，不断提高运营水平和服务质量，列车运行图兑现率和列车正点率始终保持在99%以上。在广东省十大服务行业民意调查中，广州地铁运营服务乘客满意度从2007年起，连续5年位列交通行业之首。广州地铁始终坚持、倡导文明服务，已经成为展示广州市两个文明建设成果的重要窗口。

◉ 经营情况

在开展新线建设和运营服务的同时，广州地铁积极实施多元化经营开发，重点培育了物业开发、咨询服务、装备制造等业务。物业开发业务成功打造了动漫星城地下商城等多个房地产项目，正结合地铁线网规划，大力开展地铁沿线土地储备和物业开发；设计、监理、培训、咨询等咨询服务业务充分利用广州地铁20年来积累的管理经验，实现对全国20多个城市的知识输出；装备制造业务加强与国内先进科企单位合作，地铁车辆制造产能实现新突破，目前正与南车集团合作开展储能式有轨电车研发，积极推动城市轨道交通装备国产化。

广州地铁
Guangzhou Metro

科技创新 Science And Technology Innovation

广州地铁坚持以企业为主体、市场为导向，开展产学研用相结合的技术创新体系建设。公司成立了工程技术研发中心，构建企业科技创新平台，牵头组建3个以企业为主体的产学研用科技创新联盟，与国内科研院所、生产厂商等建立了多维科技创新集群。在公司内部大规模开展职工经济技术创新活动，把地铁工人培养成生产一线的科技工作者。通过整合资源，重点从安全可靠、节能环保、装备国产化等方面开展科研技改工作。

1> 牵头开展国家“863”计划重点项目《城市轨道交通列车在途监测与安全预警关键技术》研究。该项目是目前国内唯一一个由地铁公司牵头开展的“863”项目，目前已完成国家科技部中期检查，计划在2013年底课题完成任务后，正式在地铁列车上投入应用。其项目研究成果的应用，将大大降低地铁列车运行的安全风险。

2> 牵头组织“十二五”国家科技支撑计划课题《城市轨道交通运输组织、控制及保障一体化关键技术与系统研制》等重大科技攻关，研制城轨列车运行状态监测与在途预警、全自动驾驶等系统，提升城市轨道交通安全保障水平。目前已完成设备研制，部分设备已完成装车。

3> 建成国内首个涵盖地铁建设、运营、设施保护的城市轨道交通安全预警与应急平台，为日常安全管理、风险管理、突发事件处置提供辅助决策支持，极大提高了地铁的应急处理水平。

4> 以地铁四号线大学城北站及官洲站为示范车站，建成广州市LED绿色照明示范工程，与原照明系统相比节能率达42%，为广州地铁建设创新型、低碳型企业创造了良好条件。

5> 承担广州市“产学研”重点项目《城市轨道交通安全保障与节能降耗关键技术研究及示范》，开展车站机电设备和运营车辆节能技术及控制策略研究，为提升设备设施能源使用效率，降低轨道交通运营成本提供技术保障。预计项目完成后，地铁车站机电设备运行能耗每年可节约10%。

6> 正在开展地铁高架桥减振降噪综合课题研究，计划在高架线路采用梯形轨枕等减振措施，优化列车、轨道、道床和桥梁结构，大大减少高架线路噪音和振动，使地铁线路更加绿色环保。

7 重点突破受国外少数寡头垄断的核心技术壁垒，历时5年与铁科院共同研制出具有完全自主知识产权的国产MTC-I型基于通信的列车控制系统（CBTC），总体技术达到国际先进水平，目前已通过专家鉴定，将在七号线一期工程投入应用。

8 历时6年研发的国产化牵引传动系统已在一、二、八号线增购车上批量装车，对比国外产品，每辆列车采购成本降低40万元，得到国家发改委的充分肯定。

9 与铁科院共同研发国产化地铁车辆架控制动系统，并在三号线北延段成功投入应用，填补了国内在该领域的空白，有效降低了制动系统的采购和维护成本。

10 与南车青岛四方机车公司、株洲南车时代电气公司、铁科院、青岛四方车辆研究所合作，研制成功拥有自主知识产权的直线电机车辆，促进了城市轨道交通车辆关键部件和整车产业化的发展。

11 与中国南车集团株洲电力机车有限公司合作，成立广州南车城市轨道装备有限公司，自主生产拥有领先核心技术的列车和电气设备，打破了国外技术垄断。

此外，公司共承担了14项国家和行业标准的主编工作，获得专利64项，还有39项专利已由相关知识产权部门受理。近三年共开展科研项目80多项，技改国产化项目200多项，取得了一大批科研成果。

广州地铁以“地铁，为广州提速”为使命，以为广大市民提供安全快捷的出行服务作为首要任务，着力把广州地铁打造成市民出行的首选公共交通工具，正朝着“致力成为城市轨道交通行业的典范”的企业长远发展目标稳步迈进。

MTR 港铁公司与广深港高速铁路

香港铁路有限公司（港铁公司）被公认为全球较为领先的铁路系统，以其安全、可靠程度、卓越顾客服务及高成本效率见称，平均每周日的载客量逾五百二十万人次。

一九七五年成立时，当时的地铁公司使命是为香港建造及经营一个铁路系统，采取审慎商业原则运作，配合本地的公共交通运输需求。当时香港政府是唯一的股东。

香港特区政府在二零零零年六月透过公开招股，出售地铁百分之二十三的股份，公司成为地铁有限公司，并于二零零零年十月五日在香港联合交易所上市。

二零零七年十二月二日，九广铁路公司（由政府全资拥有）所经营的网络合并由公司营运。地铁有限公司的中文名称改为香港铁路有限公司（港铁公司），这也标志着香港铁路发展的一个新里程。

合并不仅为乘客带来更高效率、票价更具吸引力的铁路服务，更为公司带来在本地和海外业务增长的机会。

合并后的港铁共有九条铁路线，网络覆盖香港岛、九龙及新界。同时，公司在屯门及元朗为当地小区提供轻铁及接驳巴士服务。

公司设有机场快线，为旅客提供高速铁路专线，连接市中心和香港国际机场以及香港最新的展览及会议中心 — 亚洲国际博览馆。公司的城际客运服务，为往返广东省、北京、及上海的旅客提供方便的铁路运输。

物业及铁路相关业务

现时，港铁公司除营运铁路外，亦从事多元业务，包括发展住宅及商业项目、物业租赁及管理、广告、电讯服务及国际顾问服务。

中国及国际业务

港铁公司植根香港，迈向国际，不断在内地及国际拓展铁路相关的项目和顾问服务。公司参与建造北京地铁四号线和十四号线，深圳地铁龙华线，杭州地铁一号线，欧洲方面则参与营运伦敦铁路系统London Overground、澳洲墨尔本铁路以及瑞典斯德哥尔摩地铁。公司的顾问服务已拓展至亚洲、澳洲、中东和欧洲多个城市。

公司管治

公司的日常业务由行政总裁及执行委员会负责管理，并向董事局汇报。董事局以一位非执行主席为首，其它成员包括本地商界及小区领袖、学者和政府代表。港铁公司致力保持最高的企业道德及诚信标准，全体员工在其日常工作中均遵守《工作操守指引》，以巩固公司内的诚信文化。

广深港高速铁路香港段

港铁公司的铁路网自首条地铁线于1979年开通后，几十年来不断地延伸现有线和建设新线，其中包括目前在建项目之一的广深港高速铁路香港段。

高铁香港段长26公里，是广深港客运专线的组成部分，由香港特区政府出资并委托港铁公司设计及建设。香港段南起西九龙总站，北至深圳河深港分界；北上通过深圳北站（龙华）接驳杭福深客运专线，在广州南站（石壁）连通京港客运专线，由此连接国家高速铁路网的两大纵线。

高铁香港段的其中一个亮点，是位于西九龙的高铁总站。香港地少人多，尺土寸金，为了还地于民，西九龙总站整体建筑为下沉式地下车站。总建筑面积约38万平方米的总站虽然全部建于地下，却在设计上通过充分利用天然采光，使人不觉得身处地下。车站的整体布局和风格按国际机场标准设计、建造，设有离境大堂、抵达大堂以及相对应的出入境边检设施；该站与现有机场快线的九龙站以及西铁线的柯士甸站相互连通，成为香港一个重要的交通枢纽。西九龙总站的最底层站台区设6条短站台和9条长站台，分别供往来于广深港之间的城际列车和香港与国家高铁网沿线各大主要城市之间的长途列车停靠。建成后，西九龙总站预计每日客流量为10万人次，相当于一个大型机场的规模，以维持香港继续成为中国的南大门。

高铁香港段的线形设计方案根据多个方面的分析确定，其中包括环境影响评估的建议。近百万字的环境影响评估报告根据施工期间以及未来运营期间，高铁对沿线的各种资源、生态、土地、空气、噪声、景观、视觉等方面的影响，作了详尽的评估，最终采用全线地下方案，以最大限度地减小对环境的影响。当然，这也相应增加了高铁香港段的建造成本和设计、施工难度。

高铁香港段全程26公里地下隧道按单洞单线设计建造，以满足香港严格的消防安全条例；同时在石岗设车辆所和救援处，用作列车停放检修、逃生疏散和紧急救援的地面入口。此外，沿线地面设七座隧道通风楼，除了作铁路系统的通风，其也是隧道发生紧急事故时的辅助消防救援通道。

全线隧道施工根据不同的地质，采用盾构、矿山法和明挖方式施工。香港段的土建施工于2010年初开始，通过国际招标，目前来自国内和全球各地的承包商正如火如荼地紧张施工。

在土建施工、机电设备和运营安排等方面，香港段与内地段的连接通过两地相关部门牵头成立的建设沟通协调小组，紧密联系、协调，确保将来通车后的无缝运营。香港段预计于2015年完工暨广深港全线通车。

柔强辐射　温暖中国

山东希尔韦技术有限公司

CRV辐射能量加热采暖技术

● 生产过程加热和生产建筑采暖，是工业及各行业的主要耗能环节之一。实现低碳生产生活，必须变革加热采暖技术，进行节能减排。

● 实践证明，CRV辐射能量加热采暖技术，是符合中国国情和特色的节能减排先进适用技术。

● 为推动国家节能减排创新技术的推广应用，国家工信部、科技部、财政部三部委联合发文（工信部联节【434】号文件）把CRV技术确定为国家节能减排先进适用技术案例之一，在全国推广应用。

CRV辐射能量加热采暖的技术基本原理

● 辐射现象的本质，是物质内原子中的电子，在有温度存在（绝度零度以上）的情况下必然处于不停地运动状态（转动、振动、玄动），因此产生交替变化的电场和磁场（即电磁波），电磁波向空间的传播，即是辐射。

● 电磁波的波长范围，从几纳米到几千米，包括：宇宙射线、X 射线、紫外线、可见光（0.38-0.76μm）、红外线，微波、无线电波（雷达波、视频波、广播波）。人类利用不同波长的电磁波，实现不同的目的效应。

● 辐射能量加热采暖技术，是利用波长1-20μm的电磁波（我们称为柔强辐射波）进行加热采暖的技术。这段波是电磁波的一部分，具有电磁波的波动特性和量子特性，即所谓“波-粒二重性”，也遵循电磁波传递的4次方规律。

● 太阳发出的电磁波，依赖这个4次方传递规律，能够从遥远的天际向地球传递光和热。CRV辐射能量加热采暖技术，设备自身产生波长为1-20μm的电磁波，同样利用了这个4次方规律，有效地解决了各类空间采暖和生产工艺的快速升温问题。

● CRV技术的这种技术变革和创新，从根本上实现了节能、减排、增效，为转变生产方式、实现升级转型，提供了技术支撑。

CRV技术的科学实践和应用实例

● 辐射采暖及辐射加热，是辐射热能利用的基本方式。CRV技术在中国的科学实践，经历了15年的发展过程，取得了一批批成功实例。

● 辐射能量采暖技术的应用，发源于美国。1953年，美国为解决航天器研发设施的温度保证难题，由美国RG公司研制出世界上第一台辐射能量采暖装置，应用取得成功。

● 1997年：我们把美国CRV技术引进中国，与中国有关专家团队一起，结合中国实际进行研发实践，成功的把CRV技术应用在北京一个极为重要的波音飞机机库建筑的采暖工程中。

● 此后15年来，我们和中国有关行业的专家及工程技术人员一起，针对中国航空、地铁、船舶、邮政以及机械等行业的具体要求和特点，相继采用CRV技术进行辐射加热采暖工程300多项，项目成功率100%。成功工程实例，见附图。

大连大船集团CRV辐射加热工程

机械制造厂房
CRV辐射供热采暖工程实例

南航沈阳空客A300机库
CRV辐射采暖工程

天津地铁车辆基地
CRV辐射采暖工程实例（2004-2012）

北京地铁车辆基地CRV辐射采暖工程实例（2010-2012）

CRV技术的企业实力和成功记录

● CRV技术美国总部RG公司是世界辐射加热采暖技术的创造者和发源地，拥有世界级科研专家团队和精湛的生产工艺。

● 作为中国辐射加热采暖技术第一个引进和实践者，CRV技术在中国的事业发展已经经历15年成功历程，在航空运输、轨道交通、邮政送递、船舶生产及机械制造等各个行业的几百个工程实例中，保持着安全、节能、减排、高效的100%成功记录。

欧直中国直升机公司（EUROCOPTER CHINA）

欧洲直升机公司（Eurocopter）—— 在中国发展45年

2012年，欧洲直升机公司营业额达到了63亿欧元，获得了469架新直升机定单，占民用及准军用市场43%的市场份额。欧洲直升机公司拥有广泛的产品系列，可用于执行多种任务，包括轻型单发直升机、轻型双发和中型双发直升机以及中重型运输直升机。

在过去的45年中，欧洲直升机公司已成为中国直升机领域 的合作伙伴。双方长期的友好关系是从1967年欧洲直升机公司开始向中国提供云雀型III直升机开始的，随后双方继续在多个项目上合作，包括AS365海豚、EC120蜂鸟和EC175/Z15直升机。

为了进一步巩固在中国市场的领先定位，欧洲直升机公司于2006年12月在中国成立了欧直中国分公司，并拥有北京、上海、深圳和香港特别行政区办公室。2011年，欧直中国设立了成都、哈尔滨和武汉办公室。2009年，欧洲直升公司宣布在香港国际机场建立亚太地区区域客户服务中心（CSC）。此前，欧洲直升机公司已于2005年在香港组建了一个物流平台，专门向包括澳大利亚在内的所有亚太地区客户提供各种备件。

欧洲直升机公司在民用及准军用领域的领导地位

迄今为止，欧洲直升机公司是中国民用直升机市场的领导企业，共占有超过40%的市场份额，并已向中国售出近180架直升机。2011年，欧直中国分公司营业额为5800万欧元，与2010年相比增长了70%，并获得价值约3亿欧元的订单，打破历史最高纪录。2012年，欧直中国分公司共获得了15架新直升机定单。

欧直松鼠系列直升机——任务直升机的首选

2009年，AS350B3松鼠直升机通过了中国民用航空局（CAAC）的认证。截至目前，中国的松鼠机队直升机数量已达到30架，主要用于通航作业任务。

EC225直升机——同类级别中最佳多用途直升机

如今，直升机在世界主要城市的现代化城市管理中发挥着越来越重要的作用，包括国土安全，搜索和救援（SAR），消防以及其他各种公共服务任务。EC225直升机就是这一领域的佼佼者，以出色的性能表现为许多国家提供服务。

2009年，广东省公安厅（GPPSD）订购了1架EC225直升机用于公共与消防任务。2010年9月，直升机成功交付，并于广州亚运会期间执行任务。

目前，中国拥有共10架EC225直升机，另有2架于2011年交付给交通部救助打捞局（CRS）用于搜救任务。

欧洲直升机公司在蓬勃发展的油气市场也取得了高速发展

2008年，欧洲直升机公司与总部位于深圳的中国主要民用运营商——中信海洋直升机股份有限公司（COHC）签订了10架EC155直升机的销售合同。2011年12月，双方再次签订了7架EC225直升机的销售合同，这批直升机将在2012年末至2015年12月进行交付。这批直升机将加入COHC这一中国最大的直升机运营商的机队，该机队已经拥有AS322L1超美洲豹直升机、EC155 B、EC155 B1s和AS365海豚直升机。

海豚直升机特别受到近海作业的欢迎。目前已有21架海豚/EC155直升机在中国飞行，用于执行近海作业。在未来3年内将有7架此类直升机陆续交付。

直升机紧急医疗救护服务（HEMS）起航

用于紧急医疗服务的1架EC120直升机和2架EC135直升机已经交付给一家民营医院。

EC120 B 蜂鸟

运输能力

1名飞行员 + 4名乘客
最大起飞重量：1,715公斤/1,800公斤(带外挂)

概 述

先进的多用途单发轻型直升机，安全、安静、舒适、运行与维护简便。

AS350 B2 小松鼠系列

运输能力

1名飞行员 + 5至6名乘客
最大起飞重量：2,250公斤/2,500公斤(带外挂)

概 述

性能优化的轻型单发直升机。多功能和低成本的特点适合通航作业、公安执法或作为私人飞机使用。最新型号安装了包括飞机和发动机多功能显示器VEMD在内的多种新型设备。

AS350 B3e 小松鼠系列

运输能力

1名飞行员 + 5至6名乘客
最大起飞重量：2,250公斤/2,800公斤(带外挂)

概 述

超高性能的轻型单发直升机，装备新型发动机，降低了运行成本。直升机的内饰风格和座椅焕然一新。该机型适合极端气候条件下(比如高温高原地区)的通航作业和重物搬运。同时，它也是一种快速舒适的公务直升机。 *2370公斤，带有选装双液压系统

EC130 T2 小松鼠系列

运输能力

1名飞行员 + 6至7名乘客
最大起飞重量：2,500公斤/3,050公斤(带外挂)

概 述

装备最新科技的轻型单发直升机，模块化设计的客舱宽敞舒适，带有涵道式尾桨设计。它是同级别直升机中最安静的，符合最苛刻的噪音规范(例如大峡谷国家公园)。

AS355 NP 小松鼠系列

运输能力

1名飞行员 + 5至6名乘客
最大起飞重量：2,600公斤/2,800公斤(带外挂)

概 述

高性价比的轻型多用途双发直升机。在通航作业、公安执法和乘客运输领域经验丰富。最新型号满足高标准的A类飞行要求，性能出色。并安装了包括飞机和发动机多功能显示器VEMD在内的多种新型设备。

EC135 T2e/P2e

运输能力

1名飞行员 + 6至7名乘客或2名飞行员+5至6名乘客 最大起飞重量：2,950公斤(全部构型)

概 述

完美设计的轻型多功能双发直升机，融合了最新一代的航空技术。出色的性能、客舱的灵巧安排和装载能力使EC135成为了医疗急救和公安执法领域的典范机型。著名奢侈品牌爱马仕HERMES为该直升机所做的独家设计也在公务机和私人飞机领域遥遥领先。

EC145 EC145系列

运输能力

1名飞行员 + 9至10名乘客或2名飞行员+8至9名乘客 最大起飞重量：3,585公斤(全部构型)

概 述

效率高、用途广、特别适合公安执法、海上飞行和乘客运输的双发直升机。该直升机具备高安全标准、客舱空间宽大、性能优异、非常安静。

EC145 T2 EC145系列

运输能力

1名飞行员 + 9至10名乘客或2名飞行员+8至9名乘客 最大起飞重量：3,650公斤(全部构型)

概 述

EC145T2是EC145系列的最新产品，是功率强劲的多用途双发直升机。该机型采用了欧洲直升机公司的创新科技，例如先进的驾驶舱设计、高科技航空电子系统、4轴自动驾驶仪和涵道式尾桨。首飞于2010年6月，首架交付于2013年。

AS365 N3+ 海豚系列

运输能力

2名飞行员 + 12名乘客
最大起飞重量：4,300公斤(全部构型)

概 述

具备出色性能的双发直升机，尤其适合高温高原地区使用。它的4轴数字自动驾驶仪和高级别的航空电子系统允许其飞行最苛刻的任务，包括搜救作业。优雅的外形和豪华的内饰，也使它成为公务机的完美选择。

AS365 N3e 海豚系列

运输能力

2名飞行员 + 12名乘客
最大起飞重量：4,500公斤(全部构型)

概 述

AS365N3e可与AS365N3+执行相同的任务，但具备更出色的高温高原性能。标准型飞机加装飞机和发动机多功能显示器VEMD、大型多功能显示屏（数字地图）。选装设备增加气象雷达、TCAS和H-TAWS。

EC155 B1 海豚系列

运输能力

2名飞行员 + 13名乘客
最大起飞重量：4,920公斤(全部构型)

概 述

EC155B1装备的科技创新包括5片桨叶的球柔性主旋翼和最先进的自动驾驶系统。飞行安全、舒适、静谧，在同级别中它的外部噪音最低，是油气平台运输、公务机和公安执法方面的典范机型。

EC175 EC175

运输能力

2名飞行员 + 16或18名乘客
最大起飞重量：7,500公斤(全部构型)

概 述

EC175多功能直升机满足油气平台运输、搜救、公安执法、边境安全、医疗救护和公务航空运输等多种任务的需求。

AS332 c1e 超美洲豹系列

运输能力

2名飞行员 + 17名乘客(舒适型座位)
最大起飞重量：8,600公斤/9,350公斤(带外挂)

概 述

适合高温高原地区作业。AS332C1e装备有玻璃驾驶舱和EC225型直升机的自动驾驶仪。
主要任务：
– 重物吊挂 – 搬运作业 – 电力巡线

AS332l1e 超美洲豹系列

运输能力

2名飞行员 + 19名乘客(舒适型座位)
最大起飞重量：8,600公斤/9,350公斤(带外挂)

概 述

AS332L1e装备有玻璃驾驶舱和EC225型直升机的自动驾驶仪。比AS332C1e客舱长72cm。
主要任务：
– 乘客运输 – 公务航空 – 搜救作业

EC225 超美洲豹系列

运输能力

2名飞行员 + 19名乘客(舒适型座位)
最大起飞重量：11,000公斤/11,200公斤(带外挂)

概 述

由于其先进的航空电子系统和无可比拟的自动驾驶仪，EC225已经成为全气象条件下长距离搜救的典范机型。同时，它的高载荷能力、5片桨叶的主旋翼和低振动等特点也使该机型成为油气平台运输和公务机领域的最佳选择。

欧洲直升机公司与中国——超过30年的密切合作

自20世纪80年代中国引进生产AS365海豚直升机以来，欧洲直升机公司就与中国航空业建立起长期的友好合作关系。如今，欧洲直升机公司正在与中国航空业合作开展两个项目：EC120蜂鸟和EC175/Z15直升机项目。

与中国航空技术进出口总公司（CATIC）和新加坡科技宇航公司（Singapore Technologies Aerospace）合作开发和制造的EC120 B蜂鸟机型属于单发轻型直升机。自1997年投产以来，已向世界50多个国家的用户交付了650架该机型直升机。

2005年12月，欧直公司与中航工业直升机公司（AVICOPTER）签署了一项合作协议（共同投资并协作生产），合作开发和生产EC175／Z15直升机。EC175（7吨级民用直升机）已于2006年初进入开发阶段。2008年11月，哈尔滨飞机工业集团（HAIG）向欧直公司成功交付了第一架EC175原型机的机身结构。该原型机已于2009年12月4日在法国成功首飞，于2012年取得欧洲航空安全局（EASA）认证，并于2012年末向客户交付第一批产品。

双方已在法国和中国建立自己的总装生产线。预计这种最新型直升机在全球的销售量将达到800架。该项目将持续30多年，可为欧直公司及其合作伙伴创造2,000个高科技工作岗位。EC175直升机将为欧直填补5吨级海豚系列和10吨级超美洲豹系列之间的空白。

欧直在中国的客户支持活动

欧直公司是位于深圳的维修公司--中信海直通用航空维修工程有限公司（CGAMEC）的主要股东之一。该公司成立于2001年7月，现已获得中国民用航空局（CAAC）和欧洲航空安全局（EASA）认证，目前拥有50名员工，负责对直升机进行保养、维修和检查等工作。除欧直外，其另两家股东分别是中信海洋直升机股份有限公司（COHC）和香港迅泽航空器材有限公司（Samwell Aviation）。目前，欧直中国已占有该公司34%的股份。

2009年，欧直中国直升机公司进一步扩展中国的物流网络，与华欧航空培训及支援中心（一家空中客车公司与中国航空器材集团公司（CAS）共同成立的合资企业）共同建立直升机备件进口和分销中心。这一中心的成立，大大削减了配件的成本和交货时间，为运营欧直直升机进行近海作业、执法以及搜救任务的客户带来更高的效益。

众所周知，良好的维护保养和全面有效的培训是实现安全运营的核心，欧直公司正计划为中国客户构建全国性的支持网络，并提供专门的培训服务。欧直中国正与隶属于中国民航总局的中国民用航空飞行学院和中国民航大学合作，进行初始技能培训，培养合格的直升机飞行员和航空领域专业人才。2011年10月，作为这一合作的开始，第一期“直升机初始技能培训”项目中国民用航空飞行学院启动，这也是中国的第一个该类型培训项目。

同时，欧直也将建立“机型-级别”培训方案并在中国设立飞行模拟器。欧直中国公司在2011年与中国商务部及英德拉中国公司（INDRA）签署协议，在中国设立第一台全飞行模拟器，以培养更多高水平的直升机飞行员。这一项目也意味着欧直在中国的培训取得了里程碑式的进展。该全飞行模拟器将在2012年底前在空中客车北京培训中心完成准备工作，届时即可投入培训。

欧直看好中国市场发展前景

考虑到中国市场的巨大潜力，欧洲直升机公司目前在中国民用及准军用市场取得的成功是业务增长的良好开端。

今天，中国正面临着极端严峻的挑战。中国在增强其国土安全、搜索与救援（SAR）、紧急医疗服务（EMS）、紧急灾难救援、灭火以及环境监测等领域的任务执行能力方面有着强烈需求。

据估计，中国在2015年前将拥有至少500架直升机。一旦中国放开低空限制，这一数字在未来10年内可能超过1000架。

为了维持中国这一巨大市场的成长，欧洲直升机公司将与中国的政府部门、私人运营商以及行业伙伴携手合作，提供一系列的服务内容，以满足中国人民与整个社会对直升机的需求。

发展，恒久不变的主题

——巴西航空工业公司植根中国航空市场

Blue Skies Ahead for Embraer in China

巴西航空工业公司（以下简称“巴航工业”）创建于1969年，专为商用航空、公务航空以及安防领域设计、开发、制造和销售飞机产品，并为全球客户提供售后支持和服务。经过四十余年发展，公司已经成为杰出的120座级以下商用喷气飞机制造商、全球唯一一家提供涵盖超轻型至超大型公务机产品系列的制造商以及巴西最大的出口企业之一。公司总部位于巴西圣保罗州的圣若泽杜斯坎普斯，同时在巴西、中国、法国、葡萄牙、新加坡和美国设有办事机构、工业生产运作设施和客户服务中心。

2000年5月巴航工业在中国北京设立代表处，负责中国大陆、香港和澳门特别行政区的市场推广、销售、客户支援和服务等业务。十余载辛勤耕耘，巴航工业在中国：

◆ 赢得广大客户的信任：包括中国南方航空公司、中国东方航空武汉有限公司、中国东方航空江苏有限公司、天津航空公司、河北航空公司以及河南航空公司在内的多家重要客户，以及一些公务机客户；

◆ 机队规模迅速扩展：截至2012年年底，公司在中国市场上获得确认定单159架以及20架承诺定单，逾130架飞机（含商用及公务飞机）已交付客户运营，拥有中国120座级及以下商用喷气飞机市场近80%的市场份额；

◆ 赢得相关部门及工业合作伙伴的认可：2003年1月，巴航工业与中国航空工业集团公司合资成立哈尔滨安博威飞机工业有限公司，生产ERJ145商用飞机。2012年6月，在合资公司运营近十载、并已成功向中国用户交付41架ERJ145飞机之后，巴航工业与中航工业签署合作协议，利用合资公司既有基础设施、财务及人力资源进行 莱格赛600/650公务机的总装生产；

◆ 办事机构及运作设施不断扩展：2011年7月，公司成立其在中国的全资子公司——巴航（中国）飞机技术服务有限公司，营业范围涵盖飞机技术咨询服务、飞机操作技术咨询、航材管理服务和飞机零部件批发等，增强既有客户服务和支援能力。2011年6月，公司正式

巴航工业在中国

零备件保税库

巴航工业北京代表处

哈尔滨安博威

宜捷海特

哈尔滨

乌鲁木齐

北京

天津

山东

西安

郑州

武汉

广州

珠海

香港

三亚

天津航空

山东太古

ERJ 145 / E190 全动模拟机

巴航工业在中国机构

驻场支援

客户服务及支持设施

授权服务中心

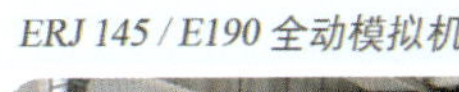

ERJ 145 / E190 全动模拟机

香港商用飞机公司

启用其位于北京市天竺综合保税区内的航材零备件保税库，由此得以以更低的成本、更迅速、及时地为中国客户提供航材服务。截至目前，公司在中国共有四家授权维修服务中心，为其在国内的商用飞机及公务飞机客户提供服务。

回顾巴航工业在华发展历程，业务得以稳健发展并得到各界的认可，与巴航工业坚守植根中国航空市场、致力于为中国建设民航强国添砖加瓦的理念密不可分。

支线航空领域——携手同行，助力中国支线航空腾飞

作为全球120座级及以下商用喷气飞机的制造商，巴航工业商用喷气飞机分为ERJ145喷气系列和E-喷气系列，拥有全球120座级以下商用航空市场45%市场份额。目前，1100多架基于ERJ145平台生产的飞机已交付客户使用，900余架E-喷气飞机已交付全球40多个国家的60多家航空公司运营。

哈尔滨安博威向天航交付的第一架ERJ145暨全球第1000架ERJ145

自2000年进入中国市场以来，其ERJ145及E-190先后赢得了包括中国南方航空、东航江苏、东航武汉、天津航空、河南航空及河北航空等多家航空客户的信任，逾120架商用飞机翱翔中国蓝天，为人们提供便捷、舒适的出行服务：通航城市达100余座，执飞逾430条航线，每年执飞25万个航班、旅客运输量达1500万人次/年。

在不断开拓中国市场的同时，巴航工业更致力于携手航空公司用户，通过开辟支线蓝海，实现与高铁的互补共赢，增强航空运输企业的国际竞争力，推动中国支线航空的发展。

发展支线航空，搭建干支结合、细分化的成熟航空网络是中国由航空大国走向航空强国不可或缺的构成。高铁的兴起，改变了既有综合运输格局。无论是航空企业寻求更优的发展之道，还是促进高铁与民航互补共赢，支线航空都是必不可少的环节。广袤的中西部、东北部欠发达或待开发地区作为新兴的经济增长点，交通运输有着潜在需求的“蓝海”是支线航空的理想市场，更是民航业避开与高铁的正面竞争，另辟蹊径的出路。

全球第800架E-喷气飞机交付中国南方航空

发展国际航线，提高国际竞争力，是国内航空公司的共识。相较外航，国内航空公司的核心竞争优势在于全面、便捷的国内航线网络的支撑，为国际航线输送客源，同时为国际到港旅客提供快速、顺畅的接驳转机服务，使他们能够迅速地从枢纽机场疏散至全国各地——而只有依靠发达的支线航空，依靠合适尺寸的支线机型高效地穿梭于全国各级城市，这样完善的国内航线网络才有可能完成。

巴航工业历来重视中国市场，在未来时间里，将一如既往地携手同行为中国支线航空的发展、为中国建设民航强国的梦想贡献一份力量。

公务航空领域——全系列公务机产品，全方位售后服务

作为全球唯一一家提供从超轻型到超大型全系列公务机产品的制造商，巴航工业旗下拥有七款机型，即飞鸿100超轻型、飞鸿300轻型、莱格赛450轻中型、莱格赛500中型、莱格赛600超中型、莱格赛650大型和世袭1000超大型。自公司全球首架公务机于2002年交付客户运营以来，目前550余架巴航工业公务机已交付全球用户使用。

自2004年向大中华区交付首架巴航工业公务机至今，巴航工业公务机品牌及产品逐步得到业界及更多用户的认可。2012年5月，巴航工业最新研发的莱格赛500中型及莱格赛450轻中型公务机入选奢侈品及时尚杂志《高峰傲》的“极品荟萃”；莱格赛650及莱格赛500分别荣膺《胡润百富》“至尚优品大型喷气公务机最佳表现奖”及“至尚优品中型公务机新秀奖”；莱格赛650

入选 顶级奢侈品杂志《罗博报告》的“罗博之选”以及中国高端社交杂志《Insider社交商圈》的“奢华赏”。2013年1月，莱格赛650再次获得《胡润百富》“至尚优品大型喷气公务机最佳表现奖”。

目前，巴航工业在中国获得28架公务机的确认定单及五架公务机的承诺定单。2011年10月，国际著名影星兼慈善家成龙先生担任巴航工业公务机品牌大使，并于2012年2月接收了其尊享空中座驾莱格赛650大型公务机，成为该机型在大中华区的首位用户。

依托其在商用航空领域的成功运营，公司为中国公务机用户提供了完善的售后服务，如零备件支持、工程支持、飞行员培训、通过模拟机降低培训成本等。同时，公司不断拓展公务机服务网络，授权公务机维护中心为用户提供高品质的机队管理和维护服务，全力保障每一位用户飞机的高效、安全使用。 中国公务航空市场方兴未艾。巴航工业公务航空业务将与商用航空业务齐头并进，携旗下全系列公务机产品、以全方位服务满足中国客户需求。

成龙，莱格赛650大中华区启动用户
及巴航工业公务机品牌大使

工业合作领域——中巴南南合作，实现共赢

在中国政府做出以“支线飞机为切入点，振兴民用航空工业的战略决策”这一大背景下，2002年12月，巴航工业与中航工业签署工业合作协议。2003年1月，哈尔滨安博威飞机工业有限公司（“安博威”）挂牌成立，在国内生产ERJ145喷气飞机，巴中双方分别占注册资本的51%和49%。这是中国航空制造业首次与国外先进商用飞机制造商以合资形式进行整机合作，也是国内航空工业唯一一家以“共同投资、共担风险、共同发展”为基础，由外方控股的合资企业。

截至目前，安博威共向中国用户交付了41架ERJ145飞机，这些飞机的签派率和航班完成率均领先全球机队平均水平，成为推动中国支线航空稳健发展不可或缺的生力军！

2012年6月21日，巴航工业与中航工业签署合作协议，利用哈尔滨安博威的既有基础设施、财务及人力资源进行莱格赛600/650公务机的总装生产。目前，安博威莱格赛项目的实施如期推进。2013年1月7日，安博威启动首架莱格赛650的总装生产。

以ERJ145项目为合作开端，以莱格赛600/650项目为深化合作的契机，巴航工业与中航工业在公务机这一高端领域的携手合作也在中巴两国双边合作关系上再次写下辉煌的一笔！

回顾巴航工业在中国12年的历程，无论是就支线航空领域还是公务航空领域，亦或是中巴航空工业合作而言，发展是巴航工业在过去十余载历程的主线，更是未来时间里巴航工业在中国市场的主题。植根中国航空市场、为中国建设民航强国的梦想贡献一份力量是巴航工业坚守不变的理念。

Our Firm in China

B+H在中国

B+H was one of the first North American firms to establish a presence in China, opening an office in Shanghai in 1992 after winning an international design competition for the Xiamen Gaoqi International Airport. Since opening, the China office has evolved into a complement of 150 professional and technical staff and over 250 in Southeast Asia in total offering architecture, master planning, interior and landscape design services for commercial, mixed use, residential, transportation, industrial, healthcare, laboratory and pharmaceutical facilities. In June 2012, B+H opened a second China location in Beijing. Launched to service clients in the North with improved efficiency, our new team is attending to business in Tianjin, Dalian, Ordos, Harbin, and other second tier municipalities that are seeing tremendous growth. Also in 2012, B+H opened a new office in Hong Kong, to serve clients in the region of Hong Kong and southern China. Our 21 years of experience in China have also given us an in-depth understanding of local culture, aesthetics and construction methods. B+H has become widely known as a pioneering firm in China.

B+H中国是首批在中国成功设立办事处的跨国公司之一。公司在赢得中国厦门国际机场设计项目后，于1992年顺利地在中国开设了办事机构。此后，中国办事机构业务不断扩大，目前已发展成为一家由150位设计人员组成的著名设计机构，同时在东南亚地区拥有超过250名设计人员，为不同客户提供包括建筑设计、总体规划、室内设计、景观设计在内的高质量设计咨询服务。B+H的设计服务已涉及各行各业，包括商业、综合体、住宅、运输、卫生医疗、实验室及医药。目前，公司在中国主要为全球跨国公司、当地发展商、机构及政府部分提供设计服务，已成功完成或正在进行设计的项目总计超过180个，设计总建筑面积逾2100万平方米。2012年 6月，B+H在北京开办了第两个分支机构，为华北的广大客户提供高效服务，我们的新团队为天津、大连、鄂尔多斯以及其他发展态势迅猛的二线城市提供优质设计服务。同样在2012年，B+H在香港开设了新的办公室，为香港和华南地区的客户提供服务。我们的香港办公室提供包括建筑设计、室内设计和景观设计在内全方位服务。

TORONTO · VANCOUVER · CALGARY
SHANGHAI · BEIJING · HONG KONG
SINGAPORE · HO CHI MINH CITY · DELHI
DOHA · DUBAI

B+H Architects
SHANGHAI
23/F The Exchange- SOHO
299 Tongren Road, Shanghai 20040
t. 86 21 3360 7861 **f.** 86 21 3360 7862

B+H Architects
BEIJING
1706, Tower A,Jianwai SOHO,39 East 3rd-Ring Road,
Chao Yang District, Beijing 100020, China
t. 86 10 5869 9104 **f.** 86 10 5869 7440

Our Selected Airport Experience
B+H机场设计项目选

Hangzhou Xiaoshan International Airport
杭州萧山国际机场

Completion / 完成时间：Phase 1 一期——2001年
Location / 项目位置：Hangzhou, China / 中国杭州
Size / 项目规模：2,152,000 ft²(平方英尺)/ 200,000 m²(平方米)

Changsha Huanghua International Airport Terminal
长沙黄花国际机场候机楼

Completion / 完成时间：2001年
Location / 项目位置：Changsha, China / 中国长沙
Size / 项目规模：335,080 ft² (平方英尺)/ 33,000 m² (平方米)

Haikou Meilan Airport Terminal
海口美兰国际机场候机楼

Completion /完成时间：1999年
Location / 项目位置：Haikou, China / 中国海口
Size / 项目规模
957,640 ft² (平方英尺)/ 89,000 m²(平方米)

Xiamen Gaoqi International Airport
厦门高崎国际机场

Completion /完成时间：1996年
Location / 项目位置：Xiamen, China / 中国厦门
Size / 项目规模：1,183,600 ft²(平方英尺)/ 110,000 m²(平方米)

Toronto Pearson International Infield Development Project
多伦多皮尔逊国际机场——机场内专用综合设施

Completion / 完成时间：2002年
Location / 项目位置：Mississauga, Canada / 加拿大密西沙加
Size / 项目规模：1,356,360 ft² (平方英尺) / 126,000 m² (平方米)

Toronto Pearson International Airport Terminal 3
多伦多皮尔逊国际机场——第三航站楼

Completion / 完成时间：1991年
Location / 项目位置：Mississauga, Canada / 加拿大密西沙加
Size / 项目规模：1,100,000 ft² (平方英尺) / 102,200 m² (平方米)

Brunei Terminal Airport
Proposed Retrofit and Expansion
文莱机场 翻新及扩建
Year / 设计时间：2011年

Harbin Taiping International Airport
Design Competition
哈尔滨太平国际机场 设计竞赛
Year / 设计时间：2010年

铁路工程勘察设计

Railway Engineering Survey and Design

CHINA RAILWAY ENGINEERING CONSULTANTS GROUP CO.,LTD.

中 铁 工 程 设 计 咨 询 集 团 有 限 公 司

中铁工程设计咨询集团有限公司（简称中铁咨询），始建于1953年2月，前身是铁道部专业设计院，2004年7月1日重组改制，注册为现名。中铁咨询是集工程勘察、设计、咨询、监理、总承包和科研开发于一体的大型综合勘察设计咨询企业，是世界500强企业——中国中铁股份有限公司的全资子公司，总资产16亿余元，注册资本32986万元人民币，持有国家颁发的工程勘察综合类甲级、涵盖21个行业的工程设计综合甲级等12项甲级资质，拥有商务部批准的对外工程承包经营权，取得了ISO9001质量管理体系认证证书。

中铁咨询在北京设有十五个专业分公司，在济南、郑州、太原设有三个综合分公司，拥有从事工程监理、岩土工程、工程检测等业务的五家子公司，并登记设立企业集团——中铁工程设计咨询集团。

中铁咨询及所属子公司现有在岗员工2300余人，其中专业技术人员2000余人，涉及交通运输、建筑、土木、地质、测绘、电气、通信、机械、自动化、环境、矿产、冶金、工程经济、电子信息等十余个门类三十余个专业，其中勘察大师1人，教授级高级工程师66人，享受国家政府津贴人员、省部级专家和拔尖人才95人，高级工程师580余人，取得国家各类注册执业资格人员500余人。2006年，中铁咨询被中国勘察设计协会评为“全国优秀勘察设计企业”，总经理李寿兵被评为“中国勘察设计优秀企业家”。

优秀勘察设计企业

中铁工程设计咨询集团有限公司

二〇〇六年十一月

北京北站改造工程
Upgrading of Beijing North Railway Station

横峰至南平铁路电气化改造工程
Electrification of Hengfeng-Nanping Railway

首都国际机场线
Capital International Airport Line

业务范围

五十余年来，中铁咨询在铁路、城市轨道交通、公路、市政工程等领域承担并完成了一大批国家重点建设项目的综合勘察设计和咨询任务，在铁路标准设计、航测遥感特别是客运专线桥梁、高速铁路道岔、城市轨道交通轨道系统等方面一直保持着领先的技术优势。

○ 在铁路领域

多年来从事高速铁路、客运专线、城际铁路、重载铁路等综合勘察设计，先后承担了北京至张家口、张家口至呼和浩特、南宁至广州、长春至吉林、吉林至珲春等高速铁路和客运专线综合勘察设计任务；承担了国内第一条30吨轴重、也是线路最长的重载铁路——山西中南部铁路通道的勘察设计。同时还参加了京津城际、京沪高铁以及大西（原平至运城段）、武广、郑西、京石、温福、哈大等铁路客运专线项目的设计咨询和工程监理。

○ 在城市轨道交通领域

承担了在北京、天津、上海、南京、广州、深圳、沈阳、大连、青岛、苏州、无锡、长春、成都、长沙、太原及重庆等城市的城市轨道交通建设项目。具有代表性的项目有：勘察设计总体总包：成都地铁一号线二期工程南延线，长春轻轨三号线东延线等。地下车站、区间设计：北京地铁四号线、七号线、八号线二期、九号线、十号线一期、大兴线等，深圳地铁一号线、三号线、五号线、七号线、九号线等，广州地铁二号线、三号线、九号线等，上海地铁二号线等，沈阳地铁二号线、四号线、九号线、十号线等，长沙地铁三号线一期等。高架车站、区间设计：北京轨道交通首都机场线、燕房线、广州轨道交通四号线、上海轨道交通九、十一号线。轨道系统设计：广州地铁三号线、四号线、五号线、六号线、广佛线、二十一号线、上海地铁11号线等。车辆段设计：苏州地铁、大连地铁。信号系统及供电系统设计：石家庄地铁3号线。

○ 在城际轨道交通领域

承担了广东珠三角城际轨道交通网东莞至惠州可研及勘察设计总承包、广州至清远可研及勘察设计总承包、惠州至河源可研及中原城市群客运轨道交通系统郑州至焦作可研及勘察设计总承包、郑州至新乡可研及勘察设计总承包、郑州至新郑机场可研及勘察设计总承包、新郑机场至许昌可研及勘察设计总承包任务。

○ 在公路、市政领域

承担了北京、四川、河南、山东、山西等省市承担了一批高速公路、大型桥梁、建筑和地下工程等勘察设计项目。

○ 在海外市场

先后在委内瑞拉、越南、刚果（金）等国家承担了铁路、公路、市政道路、建筑、矿产资源等领域的工程勘察设计项目。

科技创新

中铁咨询注重科技创新，是北京市科学技术委员会认定的“高新技术企业”，持有有效专利33项，累计主编和参编工程建设国家标准16项（在用5项）、行业标准规范96项，累计编制铁路标准图6888项；所承担的勘察、设计、咨询、科研等项目中获国家级奖项122项，省部级奖项652项；作为主要参加单位完成的“铁路大型养路机械成套装备技术与应用”获国家科技进步二等奖、作为主要参加单位完成的“青藏铁路工程”获国家科技进步特等奖。主持完成的“高速铁路常用跨度梁技术”获中国铁道学会科技技术奖特等奖。

中铁第一勘察设计院集团

铁一院是新中国成立的第一批铁路勘测设计单位。半个多世纪以来，累计完成铁路各阶段研究及勘测设计近45万公里，投入运营近3万公里，先后奉献了我国第一条电气化铁路、第一条沙漠铁路、第一条盐湖铁路，世界第一条的高原冻土铁路、第一条湿陷性黄土地区修建的高速铁路……

众多在国内外具有重大影响的品牌工程铸就了铁一院雄厚的技术品牌。建院以来，先后荣获国家和省部级科技进步、优秀工程勘察设计、优秀软件、优秀标准设计奖400余项。其中，国家科技进步特等奖3项，一等奖2项，全国优秀工程勘察设计金奖7项。目前，铁一院在山地铁路、高原冻土铁路、沙漠铁路、电气化铁路、特长隧道大型铁路枢纽与编组站、无线列控指挥调度系统、大型互通式立交工程等方面的成套勘察设计技术达到国内或世界先进水平，全面掌握了时速350公里的高速铁路综合设计技术，城市轨道交通综合设计实力跻身全国一流行列。

国家科学技术进步奖

证书

为表彰国家科学技术进步奖获得者，特颁发此证书。

项目名称：秦岭特长铁路隧道修建技术

奖励等级：一 等

获 奖 者：铁道第一勘察设计院

证书号：2003-J-221-1-01-001

铁道第一勘察设计院：

你单位勘察、设计的西康铁路秦岭Ⅱ线特长隧道工程 经国家工程建设质量奖审定委员会审定，荣获二〇〇六年度国家优质工程金质奖。特发此证，以资鼓励。

国家工程建设质量奖审定委员会

业务范围 >>>

◎ 国家铁路干线

铁路是国民经济的命脉，它忠实地反映着国家科技水平与经济实力不断增强的脉络，清晰地记录着勘测设计手段尤其是设计理念的每一个进步与发展。

◎ 青藏铁路

青藏铁路（格尔木至拉萨段）是世界上海拔最高，穿越高原、高寒、缺氧及连续性多年冻土地区最长的铁路，平均海拔4438米，其中4000米以上地段960公里，穿越连续性多年冻土地区550公里。

◎ 客运专线

近年来，铁一院先后承担了郑州至西安、哈尔滨至大连、西安至宝鸡、宝鸡至兰州、杭州至长沙等客运专线的勘察设计任务，研究掌握了在湿陷性黄土地区及严寒、高山地区的高速铁路修建技术，参与了京津城际铁路、京沪高速铁路等项目的设计咨询、监理工作。

◎ 特长隧道

半个世纪以来，铁一院共完成铁路和公路隧道2000余座，累计长达1600多公里，先后获得国家、省、部级奖40多项，其中国家科技进步一等奖、国家勘察金奖、国家优质工程金奖各1项，国家级铜质奖1项，部优、省优40余项。

全长32.64公里的青藏铁路新关角隧道是在建中的“中国第一长隧”。引汉济渭输水隧洞长达65公里，是陕西省有史以来较大的水资源配置工程。

◎ 大型交通枢纽

从目前中国较大的改扩建工程和规划居亚洲第一的新建编组站，到代表未来运输发展趋势的集装箱中站，铁一院在大型铁路枢纽设计这一领域，始终与中国铁路的进步保持了同步发展。

◎ 城市轨道交通

铁一院已先后进入10多个城市地铁轻轨的设计、咨询和监理市场，担任西安地铁2号线，西安地铁1号线，重庆地铁6号线等项目的总体总包单位；承揽了广佛线、广州地铁5号线、广州地铁6号线等共计100多公里的总体咨询工作；完成了北京、上海、广州等城市地铁80余座车间及区间、车辆段、通信、供电、轨道等设计工作，综合实力跻身全国先进行列。

◎ 市政工程与高等级公路

铁一院充分发挥综合优势，完成了众多高等级公路、重大公路桥梁和市政交通工程，承担了大量公路项目的设计和咨询工作。

◎ 监理、咨询与总承包

铁一院是中国首批甲级监理单位和中国首批12个工程总承包试点单位之一，在工程咨询领域占据了重要地位。20多年来共完成咨询项目90多项，2006年“连霍高速公路牛背至天水段工程可研报告”获国家优秀工程咨询铜奖；“山东省东部地区快速轨道交通规划研究”获2007年度国家优秀工程咨询成果二等奖。

◎ 海外市场

近年来，铁一院开拓国际现代交通市场取得突破，进入了吉尔吉斯斯坦、加纳、尼日利亚、阿尔吉利亚、伊拉克、蒙古、安哥拉、乌兹别克斯坦和俄罗斯等国家的现代交通领域，其中由铁一院承担总体设计的尼日利亚铁路项目是我国对外承建投资额较大的项目。

国家“十一五”十大重点节能工程推广项目
交通运输部“十二五”第一批全国重点推广公路水路交通运输节能技术产品
国家重点火炬计划产业化项目
环境保护部（2011）环境经济政策配套环境友好工艺项目
国家发改委国际合作中心推荐的节能减排优秀项目

杭州桐庐洪风新技术新燃料开发有限公司是一家从事开发、研制、生产、销售系列高效节能环保技术产品的股份制实体高新技术企业。公司拥有较强的技术实力和先进的检测设备、各种化验仪器，能确保技术产品的可靠性和成熟性，能确保技术产品的质量优势，为广大用户提供优质服务，使企业用户获得较好的经济效益和社会效益。

公司拥有生产经营场地35亩，办公、生产厂房等两万多平方米，油库5000立方米，拥有固定资产1.5亿元。有固定员工68人，其中高级技术职称6人，中级技术职称16人。公司注重“以人为本、尊重人才”，凭借一大批敬业实干团结奋进的高科技人才和科学经营管理的精英，紧握时代发展的脉搏，迈进了国际、国内同类技术行业的先进行列。近年来，企业被国家有关部门授予“中国市场知名企业”、“中国优秀诚信企业”、“中国最具发展潜力企业”、“中国渣油制造十强企业”、“中国质量500强企业”等诸多荣誉。技术产品通过ISO9001国际质量管理体系认证和ISO14001国际环境管理体系的认证，并已申报多项国家发明专利和实用新型专利。主要技术产品有：

1 HF节能环保柴油

由俞正良研究员研制的HF节能环保柴油，是以0号柴油为主，加入多种不同性能和不同作用的介质、化学添加剂、催化剂、助燃剂，用科学的方法调和反应而成的一种环保乳化新燃油。其颜色基本与0号柴油相同，洁净透明，其使用性能优于0号柴油。油品内含有强力催化、助燃、清洁、润滑、分散等高效作用的有效成分，HF节能环保柴油有消除发动机积碳、提高燃烧值、清洁燃油喷咀和燃油系统、延长各种机器寿命等功能。在各种汽车上正常应用，经权威部门对比测试，节油率达到16%~20%，车辆尾气排放的净化率为76%以上，降低和减少汽车排出的PM2.5 25%以上。

HF节能环保柴油产品的功能和经济、技术指标：

- 具有优良的环保特性：HF节能环保柴油和普通柴油相比较，各种环保指标，如不透光烟度、氮氧化合物及颗粒物等均有较好下降。
- 低温流动性能较好：与普通柴油相比较，HF节能环保柴油具有良好的低温流动性能，凝固点可调制达到-20℃以下。
- 节油效果显著：HF节能环保柴油内含有15%的有关介质（去离子水和催化剂）和多种添加剂，在各种车辆上使用的效果相同或优于普通柴油，其节油效果均在15%以上。
- 具有良好的安全性能：HF节能环保柴油的闪点高于普通柴油，它不属于危险燃料油品，在运输、储存、使用等方面的优势明显。
- 具有较好的燃烧性能：HF节能环保柴油的16烷值接近普通柴油，在使用时具有较好的燃烧抗爆性能。HF节能环保柴油的发热量略比普通柴油低，但由于HF节能环保柴油中所含的氧元素能促进HF节能环保柴油充分燃烧，可以较好的提高发动机的产热率，这对功率的损失有较好的弥补作用，达到和普通柴油相同或更好的功率效果。
- 具有较好的经济性：使用HF节能环保柴油与普通柴油相比较，企业用户能降低柴油成本或者提高经济效益为油价的5%，而且各种设备不需任何改动。
- 稳定性和调和性能好：HF节能环保柴油可按一定比例和普通柴油混合使用，能更好的降低油耗，提高发动机功率，降低车辆尾气污染排放。
- HF节能环保柴油的优良性能：发动机废气排放指标不仅满足目前的欧洲Ⅱ号标准，甚至能满足更加严格的欧洲Ⅲ号排放标准。HF节能环保柴油是一种真正的节能和绿色环保柴油，该项节能技术产品，已在我国有关市场上各种大型汽车、挖土机、锅炉、船舶等设备上使用了20多万吨，取得了市场用户的一致肯定。

地 址：浙江杭州桐庐城南街道大丰　　传 真：0571-64213468
电 话：0571-64213478　64211507　　邮 箱：hf_fuels@yahoo.com.cn

科 / 技 / 燃 / 油 / 技 / 术 / 前 / 景 / 广 / 阔

2 HF节能环保重油

HF节能环保重油，是以180#、250#重油、渣油为主，加入多种不同性能和不同作用的介质、化学添加剂、催化剂、助燃剂，用科学的方法调和反应而成的一种节能环保新燃油。其颜色基本与普通重油相同，使用性能优于普通重油。油品内含有强力催化、助燃、清洁、润滑、分散等高效作用的有效成分，有消除喷咀积碳、提高燃烧值、清洁燃油喷咀和燃油系统、延长各种机器和设备寿命等功能。

HF节能环保柴油产品的功能和经济、技术指标：

- 节油：1995年以来在国内几十家国家大中型企业用户连续使用的节油率为13-20%，国家科技部组织“专家组”进行和普通重油对比检测得出的平均节油率为12.3%，钢铁、建材大型企业连续使用，以产量对比得出的平均节油率为16%。
- 环保：经杭州市环境检测中心站对比检测，和普通重油对比，加热炉燃用HF节能环保重油，大气污染物有较好下降。其中NO_x排放率下降25%，CO浓度下降20%，环保效果显著。

凭超卓技术和先进水平 / 靠优质优价和优良服务
全面开拓和创新于社会 / 赢用户肯定和社会信赖

- 经济：使用HF节能环保重油产品，用户能降低燃油成本或增加经济效益为重油价的6%以上。上海浦钢集团（现宝钢集团）提供的对比检测数据表明，产品对被加热体无腐蚀、无损坏，能降低加热体或加热产品的氧化烧损率为40%。

使用该项节能技术产品，不需要更改任何燃烧设备和工艺设备系统。

该项节能环保技术油品，自95年以来在我国有关大型企业用户，广泛推广使用了120多万吨，已取得了显著的经济和社会效益。

以上两项高效“节能减排”技术成果，属国家发改委公布的国家“十一五”十大重点节能工程实施意见“节约和替代石油资源”的推广项目之一，国家环保部（2011）环境友好工艺政策配套综合名录，并列入国家科技部“国家重点火炬计划产业化项目”、交通部“十二五”期第一批全国重点推广公路水路交通运输节能产品（技术）、浙江省“十一五”重大科技专项重点项目、浙江省经贸委第二批节能产品推广目录项目。2008年12月1日被中国企业联合会、中国企业家协会组织专家评审为“中国企业新纪录节能减排双十佳企业”的国家荣誉，并对其进行了表彰。2009年被全国节能监测管理中心收录为“全国节能产品数据库”节油类节能减排产品。2010年5月，荣获“中国节能贡献奖”的国家级荣誉。2010年6月获得“2010年中国上海世博会联合国馆高新技术产品”的国际荣誉。2011年5月荣获“2011节能中国十大新技术应用奖”的国家荣誉。专利发明人俞正良研究员被美国美中友好协会、美国联合基金会授予“为国际事业做出杰出贡献的企业家”国际荣誉。2008年以来已成功申报发明专利三项。

3 TG02型汽油节能剂、SL03型柴油节能剂

该项汽油、柴油节能环保产品是由多种精细化学制剂合成的一种有色液体，内含有强力催化、助燃、清洁、润滑、分散等高效作用的有效成分，加入汽油、柴油中可立即改善燃油雾化、提高燃烧值、增加动力、节能燃油、消除积碳、清洁燃油系统、增强机器润滑性、延长机器寿命、降低排烟度值、减少对社会的环境污染等。

该系列节能环保技术产品经在我国部分地区的各种汽车、公交车、轮船、锅炉等进行试用和长期应用的结果表明：产品应用节油率达到12%-20%，平均节油率为16%以上，降低车辆排烟量76%，各种车辆的发动机噪音下降20%以上，汽车最大输出功率提高20%以上，爬坡提高１至２个档位，每燃用１吨汽油、柴油，采用该项节能技术产品能降低燃油成本8%以上，且经济效益和社会效益十分可观。

2009年，SL03型柴油节能剂被国家交通部公布为“全国重点推广营运车船节能产品（技术）”，在全国范围内进行推广。

上述多项重点高效节能减排技术产品，已形成较好的产业化生产和应用，分别在我国十多家大、中型企业用户的工业炉窑和民用汽车上加工生产使用了120多万吨乳化油，已为国家节约紧张的石油资源15万吨以上，降低和减少二氧化硫的排放１万多吨，对国家的节能减排事业起到了很大的推动和促进作用。

2010年3月该公司和山西省长治市政府以及有关企业合作注册成立了“山西上泓新能源发展有限公司”，注册资金1.8亿元，企业生产和经营场地108亩，总建筑面积２万平方米，储油库总量15000m³，具备年生产销售HF节能环保柴油15万吨的能力。现已正式投产供长治市市场广泛使用，取得了较好经济效益和社会效益。

4 项目的推广价值

推广和使用HF节能环保柴油、重油产品，对于缓解能源危机，保护环境，提升产业结构调整，发展低碳产业经济，都有十分重要的意义。

我国能源短缺形势严峻，原油大部分依赖进口，远远不能满足经济高速发展的需求，迫切需要从国家战略的高度发展新能源，推广和使用节能减排技术产品。受技术和资源等因素的制约，核能、风能、太阳能等可再生资源都无法替代石油等传统化石能源，并且液体燃料仍有不可替代性，所以节约石油资源成为当务之急。据统计，2011年我国柴油和燃料油的消耗量已超３亿吨以上，如果采用HF节能环保柴油/重油产品，每年就可以为国家节约大量的宝贵石油资源，而且可以大幅度下降一氧化碳、氮氧化物以及颗粒物等有害气体和物质的排放。所以广泛推广和使用HF 节能环保柴油/重油产品，对加快推进转型发展以及节能减排和环境保护具有十分重要的重大意义。

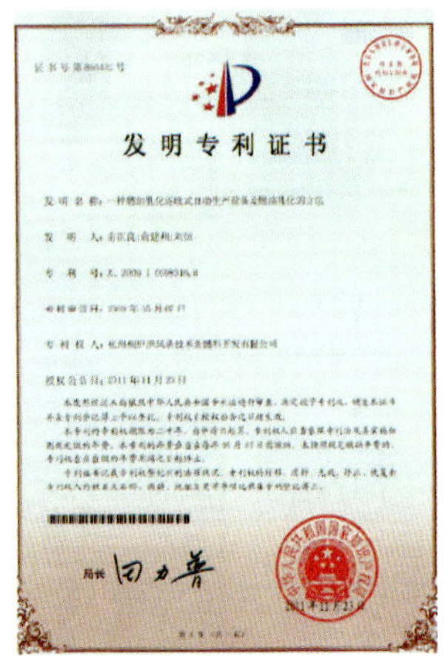

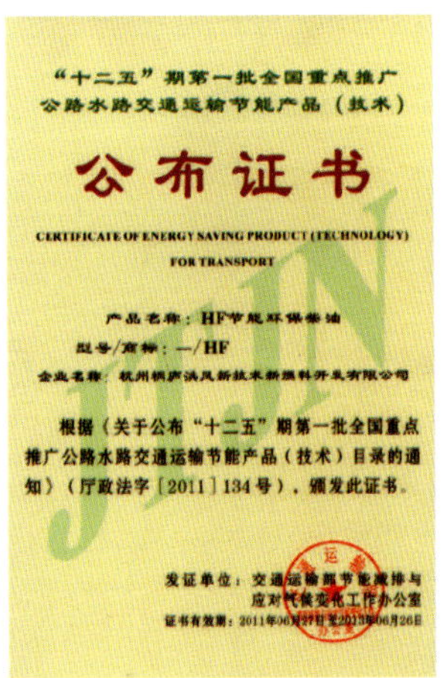

公共艺术彰显城市表情

城市再开发给北京的城市建设带来了机遇与挑战，在城市从规模到质量的转型期，北京的地铁建设迎来了新的发展时期，显而易见，新北京的地铁建设模式将对中国其它城市的地铁建设理念产生深远的影响，她的“文化形象”也显现一个国家的文化底蕴，甚至承载一个民族的文化自觉和意识。对北京而言，它也彰显着这个城市的文化表情。

南锣鼓巷——北京记忆 作者：王中 武定宇 规格：20m×3.2m 工艺：琉璃铸造

鼓楼大街——晨钟暮鼓 作者：仪祥策 吕品晶 规格：14.4m×3.45m（两面） 工艺：石材雕刻

这个文化表情绝非几个标签式的京剧脸谱符号；被高架桥掩埋的孤独城楼；或者涂了灰色涂料“抚平”了苍桑的胡同景观所能粉饰出来的，一个城市的文化应该透过文化符号的表象，给人们心目中留存这个城市文化意象，它是渗透到人们日常生活的路径与场景，通过物化的精神场和一种动态的精神意象引导人们怎么看待自己的城市和生活。

没有大栅栏的老字号，前门大街就不可能充满魅力；没有沙滩红楼，五四的光辉只能沉睡在课本之中；没有永定门城楼，城市中轴的序曲便没有起点……。

南锣鼓巷——城市记忆 作者：熊时涛 常志刚 规格：15m×3.6m 工艺：石材雕刻

鼓楼大街——雕刻时光 作者：武定宇 王中 规格：5.4m×5.9m 工艺：金属雕刻

白堆子——凤杏奇缘 作者：李震 路通 规格：10.8m×3m 工艺：铝板UV印刷

地铁公共空间的特殊性在于它的流动与穿越，存在时间的“时空穿越”，它既是对历史和空间的穿越，更是一个地域文化的穿越，穿越意味着阅读，意味着回顾。

地铁站台的公共空间环境需求带来全新的城市文化需求，在满足快捷安全功能的同时，艺术和美不止是唯一的目标，我们希望北京地铁公共艺术建设应从艺术装点空间转型到艺术营造空间，更重要的是艺术激活空间。

文化的积淀是建立在城市自然增长的基础上的，如何在当下人为促进城市化进程中注入文化的灵魂，恢复城市历史的记忆，建立城市的人文与场域精神，营造宜居、艺术的生存环境则成为我们最重要的努力方向。

公共艺术是城市文化建设的重要组成部分，是城市文化最直观、最显现载体，“公共艺术”除了具有特殊的艺术价值外，更重要的文化价值在于它的“公共性”。它可以连接城市的历史与未来，增加城市的记忆，讲述城市的故事，满足城市人群的心理和行为需求，创造新的城市文化传统，绽放城市的友善表情。

在北京地铁6、8、9、10号线二期的艺术统筹和8、9号线的公共艺术创作设计中，我们想象乘客游走在各条地铁线，感受现实与历史的交辉，充分领会北京这座文化古城的前世今生。她是一种态度 、一种眼光、一种体验、甚至是一种生活方式。让城市的历史文化从日常生活中彰显出来，让城市记忆以物质的形式保存下来、流传开去，并与当下生活发生关联，加深市民对居住地的认识，唤起人们对城市的情感，以城市文脉为纽带，市民之间建立起紧密的联系。作为一种文化现象的公共艺术代表了艺术与城市、艺术与大众、艺术与社会关系的一种新的取向，让这种城市文化的精神场包围着我们的生活，甚至成为城市风格的助推器，让古都风貌和现代精神充分体现在一个个流动的公共空间。

美术馆 —— 富春山居 作者：马浚诚 王中
规格：24m×2m 工艺：玻璃夹胶印刷

安德里北街 —— 古都记忆 作者：王中 武定宇
尺寸：7.35m×3.45m 工艺：金属锻造 石材切槽

南锣鼓巷 —— 南锣印像1 作者：马浚诚 孙欧
规格：15.6m×3m 工艺：铝板UV印刷

南锣鼓巷6号线 —— 时光绘印 作者：李震 何崴
规格：15.6m×3m 工艺：铝板UV印刷

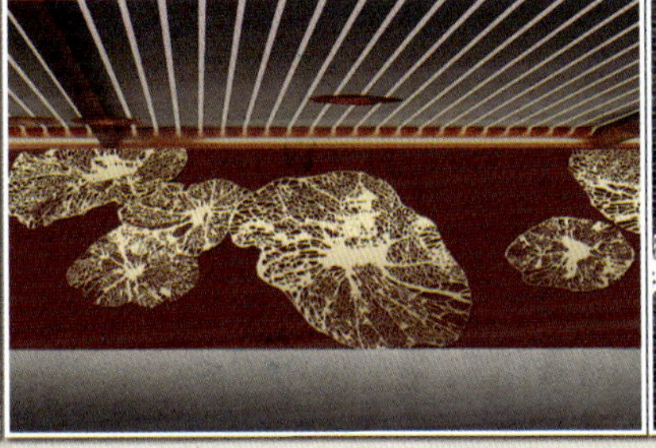

什刹海 —— 荷塘月色 作者：马浚诚
规格：20m×3m 工艺：金属雕刻

南锣鼓巷8号线 —— 南锣记忆 作者：冯烨
规格：4.5m×4.5m 工艺：金属雕刻

安华桥 —— 水墨时空 作者：熊时涛 李震
规格：10m×3.45m 工艺：金属锻造 玻璃镶嵌 烤漆手绘

白石桥南 —— 水之韵律1 作者：熊时涛 崔冬晖
规格：12m×3.25m 工艺：不锈钢锻造

军博 —— 孙子兵法 作者：王中 武定宇
规格：13.2m×3.25m（南北站厅各一面）工艺：石材雕刻

城市公共艺术的建设，是一种精神投射下的社会行为，不仅仅是物理空间的城市公共空间艺术品的简单建设，最终的目的也并不是那些物质形态，而是要对城市文化风格，城市活力以及城市人文精神带来富有创新价值的积累。

北京新地铁公共艺术建设的主张是在营造新的城市艺术环境的同时，让公共艺术从一个单纯艺术领域中飞越出来，将艺术植入城市肌体，激活城市公共空间，艺术成为植入城市公共生活肥沃土壤中的“种子”，诱发文化的“生长”，使艺术之花盛开 ，延伸喜悦、激发创意，让艺术成为城市生活的精神佳肴，令城市焕发生机和活力，激发人们更加热爱自己的城市和社区，提高城市的美誉度，创造城市的新文化。历史与现代正在编织着北京新的都市文化。它是一个传递城市文化的艺术名片。

王 中 中央美术学院教授
城市设计学院副院长
中央美术学院地铁公共艺术创作团队负责人

上海永久自行车有限公司

交通，城市建设中的一面旗帜，是社会各方关心的话题。为了缓解城市交通压力，满足市民从公共交通枢纽到目的地的中途转运，公共自行车孕育而生。此项目积极响应环保主题“减少污染，行动起来”，以具体的行动迎合绿色出行的号召，致力于解决“最后一公里”的交通问题，打造“低碳健康”出行的新方式，为市民提供更方便快捷的绿色交通服务。

公共自行车服务在欧美等发达国家早已成为城市公共交通必不可少的组成部分，各发达国家很早就开始了公共自行车服务，同时也取得了较好的反响。特别是在当前的经济环境下，公共自行车项目不仅最大限度地体现了经济的可持续发展，同时带来了增加就业岗位等一大批社会积极效应。

企业介绍

上海永久自行车有限公司从事自行车的历史最早可追溯到1940年，它是中国最早的自行车整车制造厂家之一，至今已有69年的历史。尤其是新中国成立以后，它作为国有自行车厂为中国自行车行业的发展作出了不可磨灭的贡献，永久研制了统一全国自行车标准、规格的标定车，又开发了中国第一代660MM轻便车、载重车、赛车及电动自行车、LPG燃气助力车等产品。几十年来，永久先后获得：“中华人民共和国国家银质奖”、“第一批十个驰名商标之一”、“中国自行车行业十大知名品牌”、“国家重点新产品”、“上海市著名商标”、“中国国家自行车队指定产品”、“国家免检产品”、“上海市名牌产品”、“中国名牌产品”、“最具市场竞争力品牌”、“保护消费者杯”等无数荣誉。

半个多世纪以来，永久品牌自行车已生产销售近10000万辆，为国家创利税达30多亿人民币。产品遍布全国各地，并远销欧洲、亚洲、非洲的五十多个国家和地区，年销售额超11亿元。作为中国自行车行业最早实行现代企业制度改革的企业，1993年开始整体改制成中国上市公司，A股、B股股票先后在上海证券交易所上市。2005年又作为中国含B股的首家A股公司实行股权分置改革，为中国社会经济发展作出了巨大的贡献。

21世纪伊始，上海本地民营企业——中路集团入主上海永久，掀开了永久的新篇章，在产业上突破了单一的自行车格局，形成了以自行车、电动自行车、童车、电动轮椅车为核心的两轮车产品群，和以保龄设备、棋牌桌、塑胶跑道为核心的康体产品群。目前已形成以上海为中心、六家核心生产企业和众多上下游生产企业组成的完整产业链格局。

上海永久车业分公司和中路实业有限公司，地处上海深水港和空港两大物流基地之间，其中新建成的车业分公司占地560亩，整体规划380000平方米，将成为集研究、开发、生产、展示等功能于一体的中高档自行车、电动自行车、童车等系列两轮车大型生产制造基地和国际自行车电动自行车整车和零部件自由贸易中心。年生产能力达300万辆。目前一期建设已投入运营，目前年生产能力150万辆。

2006年公司成功地控股上海浦江缆索股份有限公司，产业将横向切入非康体产业，成为产业多元化、产品多样化、经济集约化的上市公司。

项目特点

1. 网点无车棚、工作亭，节资、省地、组网灵活

（1）网点设置于人行道板外侧或其他合适地块，每隔0.6米左右间隔以锁柱定位自行车，排列可正可斜，每个网点设置一个管理柱。此设计与杭州相比较，功能不少但设施减少，节省投资且不占用绿地，同时又可避免设置亭棚极易产生的与沿街商业门店的矛盾，便于网点设置。

（2）由于不需要设置亭棚，占地面积小，网点设置可以因地制宜，见缝插针，合理布点。

（3）整个网点系统采用以太网组网方式，组网灵活，网点锁柱数量可以任意设定，可以随意扩容；如有一个锁柱损坏不影响其他锁柱。

2. 管理系统更加先进

（1）自行车内置RFID智能芯片，实现磁卡与被租车辆一一对应，便于追踪管理。

（2）专门为公共自行车开发的密码锁，避免了普通锁租客钥匙容易丢失而带来的麻烦，具有便利的人性化的特点。

（3）自行车关键部位采用非标准件设计，非专用工具难以拆卸；轮胎采用实心轮胎，安全可靠，难以破坏。

（4）系统采用了分散式智能锁柱管理，每个锁柱都内置独立的读卡器，便于用户在任意一个锁柱租还车辆。

（5）系统采用的智能锁柱实现了LED屏幕和语音提示，可自动提示用户正确操作。

（6）每个网点设置一个管理柱，实现自助查询、充值、用户管理以及其他智能化的操作。

（7）系统能够全天候、户外、24小时无人值守运转。

3. 硬件质量更加可靠

公共自行车质量是保证系统正常运行的重要条件，永久自行车有限公司设计的永久牌公共自行车是为公共自行车系统专门研发生产的，主要零部件均选用高强度铝合金材料，可以保证5年以上的运营寿命。永久公司敢于采取无亭棚网点设计，本身即体现了对自行车质量的高度信赖，否则，经风吹日晒后锈迹斑斑的自行车无疑是在给企业做反面广告。

联系地址：上海市浦东新区南六公路818号　　网址：http://www.chinarmb.com

（一）上海闵行解决城市末端交通

上海市闵行区的公共自行车项目由闵行区建交委牵头，搭建平台，购买全套整体服务，按年度支付费用。上海永久自行车有限公司进行前期网点建设以及后期运营管理。项目从2009年6月起实施，截至2011年底，共投入公共自行车19000辆，服务网点 574个，覆盖到闵行区11个镇街道。每辆自行车车日使用次数达到4.2次，运营管理人员保障投入自行车完好率在97%以上，服务网点无故障率为100%，锁柱无故障率在99%以上，市民满意率达到84%。

（二）四川都江堰实现兄弟城市互通

都江堰公共自行车于2010年4月正式启动，目前建设网点103个，投入自行车2500辆，可以为近30000名市民的短途出行提供帮助。都江堰公共自行车服务系统也是中国首个实现异地互通使用诚信租车卡的系统，可以与永久公司上海地区的公共自行车系统互通使用。

（三）江苏张家港彰显文明城市

张家港市公共自行车服务工程自2010年6月28日启动运转以来，绿色环保、便利健康的公共自行车服务受到市民的广泛认可与好评，项目运行3个月后，取得了良好的社会效益和环境效益，每辆车平均使用达到6.2次。2011年7月又增加投入1200辆车，新增75个服务点与一期系统合并，整个系统规模将达到3200辆公共自行车、152个服务网点、4000个锁柱，实现城区全覆盖。2012年开始投入三期建设，增设约1000个锁柱和1000辆公共自行车，计划新建网点35个。整个系统体现出了“用户人数多、使用频率高、社会反响好”的特点。

（四）四川遂宁方便旅游

永久公司为遂宁市打造了环观音湖的公共自行车网点，将遂宁市的各个景点联通，使得观音湖周边的产业形成一个整体，为游客近距离游览观音湖提供了方便。

（五）上海张江园区交通补充

2008年11月12日，上海永久与张江集团签订合作协议，1年内在张江高新园区建设100个网点，提供5000套租赁单元。用以解决园区内部短途交通问题。

截至2012年8月，上海永久自行车有限公司参与建设和运营的城市还有广东省的深圳市、佛山市、广州市，江苏省的昆山市，陕西省的西安市，北京市，四川省的成都市、崇州市等共计25个，共计1802个网点，55510辆自行车。

江苏宏溥科技有限公司

绿 | 色 | 出 | 行　低 | 碳 | 生 | 活

企业介绍

江苏宏溥科技有限公司（以下简称“公司”），是集智能交通系统及其产品的技术研发、产品生产、市场销售及项目营运与管理为一体的高科技企业。

公司拥有完善的技术研发基地和大型产品生产基地。公司实力雄厚、精英荟萃，与国家211重点高校江南大学物联网学院建立了长期的产学研合作关系。

公司自2000年起，就开始致力于公共自行车系统前沿技术的研发工作，凭借十余年的研发经验与技术实力，公司成功开发了以“3Q”为商标的自有品牌产品——“3Q公共自行车租赁管理系统”（以下简称3Q系统）。目前，该系统已成功投放市场，在多个城市得到应用推广，并广受政企与社会大众的好评。

企业产品与业务范围

(1)公共自行车租赁管理系统的自主研发与销售；
(2)城市公共自行车项目的量身打造与运行管理；
(3)公共自行车行业的流程化研究与标准化制订；
(4)公共自行车系统的市场投放途径与商业投资结构的建立；
(5)公共自行车网络体系的架构及智能交通产品的研发与植入；
(6)项目定制、技术研发、系统合成测试、技术与管理模式等内容的市场输出。

知识产权

证　书

江苏宏溥科技有限公司：

你单位的“3Q公共自行车管理系统V2.0”，通过由我中心组织的2012年度住房城乡建设领域应用软件测评。

特颁此证。

证书编号：建测评字2012第026号
查询网址：www.d-city.com.cn
（本证书与住房和城乡建设部信息中心测评报告共同使用有效）

住房和城乡建设部信息中心
二〇一二年九月二十七日

中华人民共和国国家版权局
计算机软件著作权登记证书

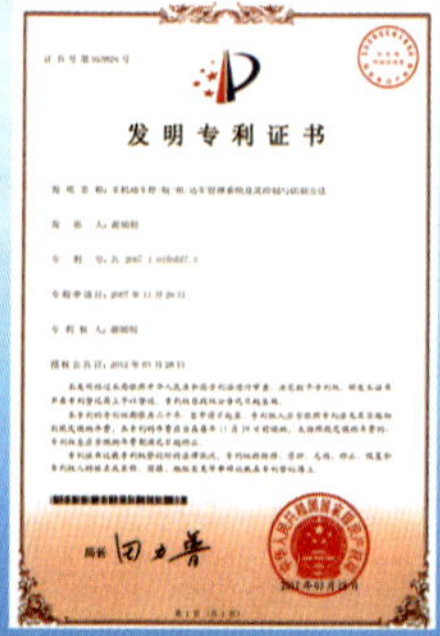

发明专利证书

产品介绍

“3Q 公共自行车租赁管理系统”由江苏宏溥科技有限公司独立研发和全程运营。区别于一般的公共自行车系统，3Q 系统是基于智能化和兼容性设计的公共自行车服务系统。

3Q 系统由两部分组成：租车管理站和信息管理中心。

智能租车管理站包括终端控制器、自行车、租赁卡及按需配置的车位锁控器和手持通信终端；信息管理中心包括数据管理、信息监控、预警处理、会员卡办理及会员管理等核心功能系统。

3Q 系统采用信息传感技术、智能识别与监测技术、射频技术等手段实现对租/还车操作、停车防盗、充值查询、调度维护、远程监控等全程信息化管理，是物联网技术在“感知交通”领域的典型应用。

基本功能展示

（1）站点内进行租车/还车，操作有语音提示。

方式一：在桩位上刷卡进行租车/还车

方式二：在车辆上刷卡进行租车/还车

方式三：通过短信申请授权进行租车/还车

（2）途中进行临时锁车/开锁，操作有语音提示。

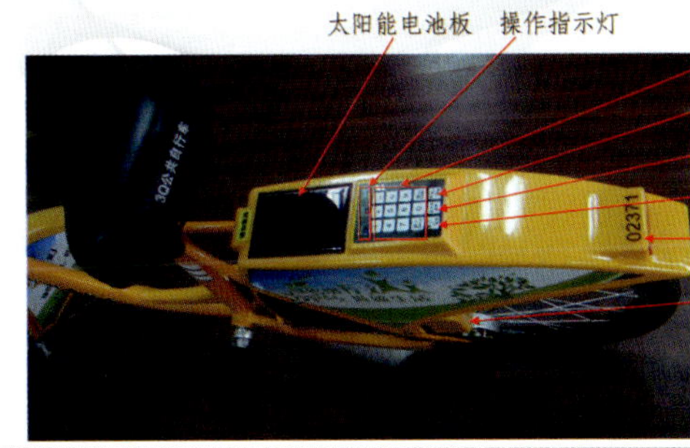

太阳能电池板　操作指示灯

刷卡感应区/密码盘

途中锁车/开锁功能键

无桩位还车功能键

站内租车/还车功能键

车辆唯一身份编号

专利电控锁

（3）网点联网，中心监控、智能报警

网点联网管理，信息管理中心可对车辆状态、租车人信息、站点实时数据等进行远程监控，科学分析后实施智能调度。

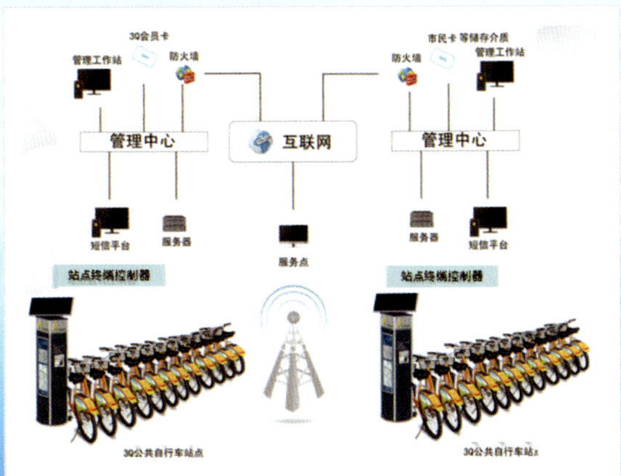

图为：网点联网管理图

车站实时数据

查询条件

车站编号：

车站编号	车站名称	车站电压	温度	可租借车辆	车站车位数	最后更新日期
01030001	新区软件园	11.0	38	5	6	2012/4/16 12:58
01030002	测试	12.7	21	0	11	2012/4/11 10:00
01030003	金鑫	11.5	13	14	10	
01030011	金鹰公园站	14.2	50	7	15	2012/4/16 12:58
01030012	市民中心站	14.7	32	12	15	2012/4/16 12:58
01030013	博览中心站	14.3	42	7	15	2012/4/16 12:58
01030014	君来世尊酒店站	13.5	33	13	15	2012/4/16 12:58
01030015	巡塘镇站	13.9	34	11	15	2012/4/16 12:58
01030016	太阳能基站	14.1	25	11	15	2012/4/16 12:58
01030021	上奥河三期南	14.9	28	9	10	2012/4/10 12:38
01030022	市政府南大门	13.8	31	21	21	2012/4/16 12:58
01030023	金鹰公园西	14.0	32	9	9	2012/4/16 12:58

低于可用车辆/车位预警值，系统自动报警，调度人工干预

图为：系统实时监控，智能预警，启用人工调度

3Q公共自行车智能服务系统

以智能公共自行车 打造城市低碳生活

应用解决方案

（1）针对设备的安全问题

解决方案一

为了有效降低车辆设备的损坏与丢失率，3Q 系统采用了硬件防损柔性设计：车辆与车位之间的锁控具有灵活性，当车辆被人为进行向前翻转或抬升时，车位锁控部分有规避外力破坏的柔性功能，增强了车辆的防盗防撬能力。

解决方案二

车辆管理系统上可进行停车防盗追踪技术升级，当车辆遇偷盗时，可通过启动车辆信息定位追踪器，确保系统和用户人身财产安全。

（2）针对用户的使用问题

解决方案一

3Q系统的车辆管理系统具有途中锁车功能，实行“一卡一车”的管理形式，用户在途中也可随停随锁，减少了管理钥匙的风险。

解决方案二

3Q系统除了专用租赁卡，同时也可支持市民卡、城市一卡通、手机、银行卡第三方信息储存介质租车，从而有效吸引潜在用户，提高用户量和车辆使用率。

（3）针对政府的选择风险问题

解决方案一

3Q 系统具备开放性和兼容性，可实现对其他公共自行车及服务系统的兼容 / 被兼容。

①3Q系统车辆与锁控器之间的锁控，采用自行车通用标准设计，可兼容大部分制式的自行车；

②专利轴控信息螺母可储存车辆信息，实现锁控与信息采集的一体化管理；

③设立专门的数据服务器，可与其他公共自行车系统实现信息共享。

解决方案二

3Q 系统可为政府及相关单位提供监管接口，一方面可为政府采集相关信息数据提供平台；另一方面，便于城管等监管部门对系统及项目的运行情况进行监督评估，鞭策运营企业服务质量的提升，实现优胜劣汰制。

（4）针对城市的后期管理问题

解决方案一

3Q系统可利用太阳能进行供电，不仅可节约电力成本，建站也更简单，无需开挖沟槽布设市电，对布点的环境要求低，布点更简便、快捷、灵活。

解决方案二

以“发展可持续、便利可延续”为宗旨，3Q系统通过开发无桩位锁控管理模式，不仅可突破现阶段“车位满、还车难”的市场应用局限，而且将引领未来城市公共自行车的发展趋势。当城市居民的精神文明水平到达一定阶段，即可完全采用无桩位的公共自行车管理模式。

（5）针对系统的可持续发展问题

3Q系统的设计充分预留功能升级空间，如无桩位锁控管理、密码管理、电子地图、图像监控等，可随时根据市场需求进行系统升级，不断完善系统与服务功能。

案例展示

目前，3Q公共自行车智能服务系统已在无锡、苏州等国内多个城市得到成功投运，一方面作为区域微循环工具服务于城市居民，另一方面逐步被纳入城市低碳交通体系中。同时，随着旅游业的兴旺，中国吴文化博览园等知名旅游景区也引进了3Q系统，将智能公共自行车作为现代旅游的重要体验元素。

此外，随着技术的不断优化与成熟，3Q系统不断走向国外市场，在欧洲多个城市开发了3Q公共自行车试点项目。

湖南斯迈尔特智能科技发展有限公司

Hunan Smiletuning Technology Corperation Limited

湖南斯迈尔特智能科技发展有限公司（原斯迈尔特（株洲））科技有限公司）是一家中美合资高新技术企业，由一批留美访问学者发起，于2009年3月6日正式注册成立，注册资金1000万元。公司总部设在中国株洲国家级高新技术产业开发区斯迈尔特产业园，现有员工81人，全部具有大专以上学历，其中海外留学回国人员8人，博士、博士后及教授级高级工程师3人。

公司实行董事会领导下的总裁负责制，设有技术研发中心、项目工程部、职业技术培训学校、行政人事部和财务管理部等职能机构。公司还拥有广东东莞斯迈尔特智能消防技术有限公司和广州斯迈尔特智能科技有限公司两家分公司并且是其法人代表。公司核心技术研发与核心系统开发由湖南斯迈尔特智能科技发展有限公司和美国斯迈尔特股份有限公司共同完成，湖南斯迈尔特智能科技发展有限公司拥有知识产权所有权和唯一应用开发使用权。

公司通过了ISO9001-2008质量体系认证，公司具有安防系统设计与施工二级资质，是湖南省商务厅授予的“湖南省服务外包重点企业”。

公司主体从事计算机软件的研发与销售，嵌入式技术及产品研发、生产、销售；系统集成与服务；公共自行车与管理系统研发、生产、销售；路灯节能与智能控制系统及产品研发、生产、销售；智能测控技术与产品研发、生产、销售；安防工程设计、施工、维修；以上相关技术外包服务与培训；以上相关产品的进出口贸易。

公司目前已经推出了多项居于国内领先水平的系统与产品：

- 城市公共自行车系统
- 自行车传动轴、花鼓
- 全景无盲区图像处理技术与全景监控摄像机
- 智能物联网感知设备与物联网建设
- 集中控制式智能应急疏散指示系统与末端设备
- 电气线路火灾智能监测系统与末端设备
- 智能照明管理控制系统与末端设备
- 电缆智能防盗报警系统
- 智能管理安防一卡通系统
- 智慧城市管理系统

公司“智能消防指挥与安全管理系统”和“城市公共自行车系统”研发项目已列为湖南省信息产业发展专项重点扶持项目。

公司在基于物联网公共自行车系统技术、超视距模糊目标体景象采集与辨识技术、电力线载波通信应用技术、全景扭曲图像还原处理技术等方面具有相关的行业优势和持续发展的技术积累。公司的业务发展始终在“智慧城市、平安家园、便民服务”的理念指导下进行。同时，公司与美国知名大学和著名IT公司有密切的联系和合作，充分保证了公司的发展能够持续、快速和领先。

公司主要产品简介

1. 斯迈尔特公共自行车系统SMIT-BSS

湖南斯迈尔特智能科技发展有限公司的斯迈尔特公共自行车系统SMIT-BSS（SMIT Bike Share System）是由公司自主研发的新一代城市公共自行车系统。该系统采用以物联网技术为核心的智慧城市综合信息平台设计思路，采用开放式设计，在城市公共服务物联网大框架下构建。

斯迈尔特公共自行车系统SMIT-BSS包括了一个公共自行车系统所需要的全套产品，均由斯迈尔特公司自主研发生产，全部拥有自主知识产权：

- 传动轴公共自行车
- 智能停车锁柱、锁架
- 室内、室外自行车网点智能管理箱
- 手持自行车管理调度设备
- 用户手机查询系统
- 自行车租赁管理系统
- 数据交换服务系统
- 配套公共自行车网站

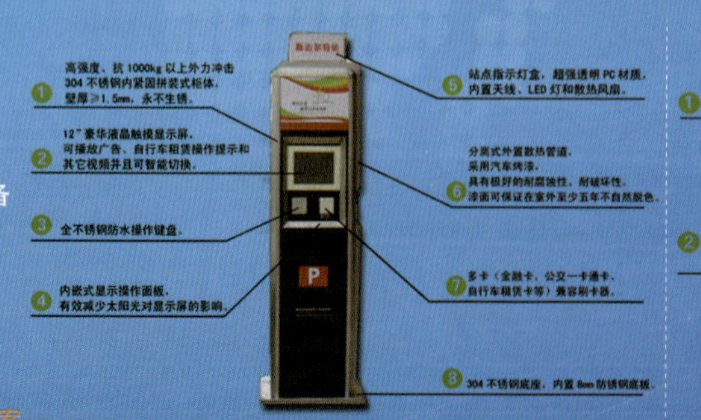

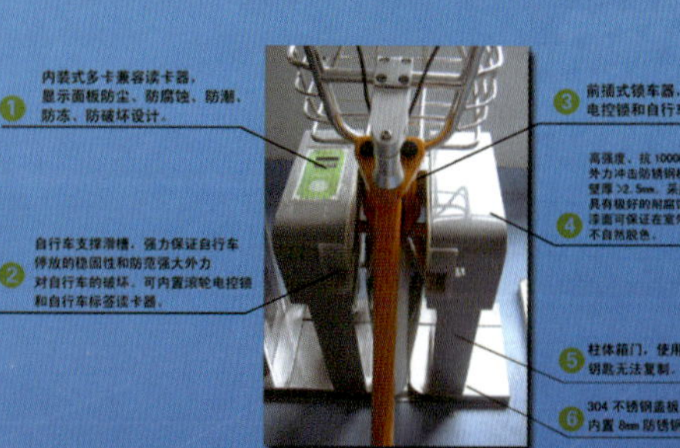

2. Smit360全景监控解决方案

全景无盲区监控是安防监控中的一大难题，目前普遍采用的方法就是使用多摄像机或者采用高速球，但这些解决方案都没有完全解决全景无盲区监控的问题。

湖南斯迈尔特智能科技发展有限公司的Smit360 全景监控解决方案，只需要一台摄像机即可实现全景无盲区监控。基于Smit360全景解决方案的监控摄像机，没有任何机械部件，它通过鱼眼镜头摄取监控现场的全景图像，通过内嵌或者外置的Smit360全景展开软件将变形的全景图像还原为正常的视频图像。

Smit360全景监控解决方案的核心是PanoGuard全景图像展开技术，Smit360全景图像展开软件是基于PanoGuard全景展开技术而开发的一种全景图像展开软件，它可监控整个360°、180°、90°环境并且在监控上无任何视觉上的死角，同时亦可在不同分割视窗中或是在撷取影像所展开的二维平面上做电子云台控制。

Smit360全景监控解决方案既可以采用我们提供的Smit360全景图像展开软件（支持任何厂家的全景摄像机和普通摄像机混合使用），也支持厂家集成Smit360全景图像展开软件到其自己的CMS中，最大限度方便厂家在最短时间内推出自己的全景监控系统。

3. 基于RFID的智能物联网末端感知设备

RFID技术应用是物联网末端感知设备的重要组成部分，湖南斯迈尔特智能科技发展有限公司重点面向基于RFID的安全保障控制领域的智能物联网末端感知设备研发和物联网建设方向。

针对安全保障领域的物联网建设，公司产品包括城市公共自行车系统、可将人员身份信息、报警应急系统呼叫、一卡通功能集成于一体的智能RFID电子卡，配套的远距离读卡器，将平安校园、平安企业、平安机关、平安小区连接在一起的综合安全物联网应用系统。

4. 集中控制式智能应急疏散指示系统

集中控制式智能应急疏散指示系统实现消防疏散和人群拥挤区域安全疏散的智能指挥，系统应对传统消防疏散指示标志存在的缺陷而研发，是一种高科技的智能疏散指示系统，它通过将传统独立的消防应急标志灯和应急照明灯、视频监控整合在一起，实现与火灾自动报警系统的通讯与联动、视频监控报警联动，自动获取火灾或者紧急报警位置信息，并通过其内嵌的疏散算法自动生成最佳疏散路径，进而控制应急标志灯改变指示方向、同步启动应急照明灯、同步启动自动语音引导，使人群沿最佳路径通过真正的安全出口疏散到安全地带。

公司的产品包括基于电力线信息传输的智能防应急标志灯和应急照明灯、智能路由器、上位机系统。

5. 电气线路火灾智能监测系统与末端设备

当电气线路及装置因绝缘破损有接地故障时，在漏电故障点和导体不良连接处将引起电弧、电火花，这种电弧具有很大的阻抗和电压降，它限制了故障电流，使过电流保护器不能动作或不能及时动作来切断电源，而几百毫安的漏电弧产生的局部高温可达2000℃以上，足以引燃周围的可燃物而引起火灾。况且其范围涉及到建筑物的各个角落，危害范围广。如不对系统的漏电进行监测和防控，就会对人身安全存在很大的危险性，对线路存在破坏性，同时，存在很大的火灾隐患。根据公安部消防局电气火灾原因技术鉴定中心的统计资料来看，电气火灾大部分是由电气线路直接或间接造成的，“电气线路火灾智能监测系统”能准确监控电气线路的故障和异常状态，能发现电气火灾的火灾隐患，及时报警提醒管理人员去消除这些隐患。

公司的产品包括电气火灾监控器和集中式上位机管理软件。

6. 智能照明管理控制系统

湖南斯迈尔特智能科技发展有限公司研发的智能照明管理控制系统是一种无线互联网智能照明监控系统，采用电力线载波技术、GPRS与射频传输技术形成基于网络的道路照明智能控制系统，实现自动调整部分或者所有的路灯、远程控制路灯、分析并调整它们的行为，监视并识别路灯的故障，测量、显示并调节能源消耗等情况。

公司的产品包括单/双灯节点控制器、点集中控制器、回路集中控制器、上位机管理软件。

7. 电缆智能防盗报警系统

照明供电线路被盗，一直是路灯行业防不胜防的难题，电缆智能防盗报警系统是主要用于低压电力线路和通信电缆的防盗报警系统，是照明供电线路防盗的理想产品。斯迈尔特公司研发的电缆智能防盗报警系统采用了本公司的专利通信技术，并配合使用业已发达的公网通信技术或用户已经拥有的"三遥"系统，可以实现以一个城市为单位的所有电力线路的防盗监控，无论电力线路是否有电，都能进行监测。

8. 智能消防综合调度指挥系统

湖南斯迈尔特智能科技发展有限公司消防3G可视化管理系统，针对消防行业的需求，结合目前先进的3G网络技术、RFID技术，为消防部队作战提供统一的智能化、可视化、数字化的全程管理与指挥平台。其信息设备可武装到最基层——单兵，提高了部队整体灭火作战、指挥能力，并提供了基于空间位置的服务，为部队快速反应、快速出动、安全扑救提供了有力的保障。

9. 智慧城市管理系统

湖南斯迈尔特智能科技发展有限公司智慧城市管理系统主要包括：支撑平台、移动采集及移动办公系统、综合业务受理系统、协同工作系统、车辆定位监控系统、视频监控共享系统、综合评价系统、智能系统、网站及WAP发布系统、GIS应用开发系统、数据共享与交换系统、高分辨率遥感影像识别及维护管理系统、呼叫中心系统、网格划分编码与遥感影像处理。

中国低碳交通发展报告之喜联发篇

喜联发
SEEFAR

深圳市喜联发健体科技股份有限公司
从代步到生活态度，当城市大众成为践行低碳绿色理念的主角时，
我们的城市必定更加美好。

喜联发，贴近生活，自在骑行！

深圳市喜联发健体科技股份有限公司成立于2008年，注册资本7440万元，是一家以研发、制造、销售中高端自行车为核心业务的大型民营企业；公司现有员工800多人，其中大专以上学历100多人，技术研发人员40多人；年产自行车可达120万辆，产值可达8亿元。公司已通过ISO9001质量管理体系和ISO14001环境安全体系认证。成立之初，喜联发公司就以高起点的投资规模配备了优良的设备。车架车间有整套先进的下料、备料设备，四条铁车架焊接线、一条铁前叉焊接线和一条附件焊接线；涂装车间有一套全自动皮膜生产线和一套手动皮膜生产线，两套全封闭式三涂三烤的烤漆线和一套自动喷淋式水标线；轮组车间配有4台自动轮圈锁紧机、16台气动铜头递组机和2台自动校正圈机器人，整个轮组采用多层悬挂式流水作业；总装车间有三条悬挂式预装流水生产线，两条55米的装配流水线和一条35米的童车、折叠车专用装配流水线；另外公司设有专业的工模制作组和产品检测中心。

通过几年的努力，公司业务迅猛发展。出口业务方面：客户遍布美国、欧洲、俄罗斯、日本、韩国、南非、南美、东南亚等国家和地区。2011年4月，公司顺利通过广交会组委会审核，成为广交会进出口指定优质供应商。国内业务方面：公司相信倡导环保低碳、绿色出行，关键要根植于国内大众---特别是饱受堵车、尾气污染、停车难等困扰的城市居民。喜联发国内业务的2大板块，都是以城市人群骑行的诉求（如便利、环保、健康、快乐）而展开。公司一方面积极参加各个地和单位公共自行车建设，来满足一般大众的需求。

2009年合作案例：中国国家邮政总局、广东省公安厅、中国电信广东省公司、中国移动湖南省公司。
2010年合作案例：武汉市公共自行车3万台独家中标单位。
2011年合作案例：南昌市公共车、西安市园博园公共车、惠州市警用自行车。
2012年又先后为中山市、惠州市、佛山市、常德市、贵州市相关企事业单位供应公共自行车。

通过不断的累积和探索创新，喜联发公司对公共自行车建设有了更全面的掌握，从产品的特性要求：安全、防盗、防锈、便利到环境效益、经济效益、社会效益都有良好的考量。在软硬件上与业界各系统公司建立了较好匹配。不仅打造了公司核心竞争力、也为企业实现价值、承担社会责任提供了良好平台。

中山公共自行车　　武汉公共车　　警用车

另一方面，喜联发公司通过市场调研，发现中高端人群的个性需求，进行个性产品的设计开发。我们是国内第一家明确把自行车定位成都市时尚休闲工具的厂家，基于此，我们从产品的设计、供应商选择、材料检验、涂装、组装、定价等无不凸显这种定位---品质、时尚、亲民、轻巧、雅致，贴近生活、尽量避免晦涩、专业术语介绍推广。考虑到骑行环境和骑行目的不同，对于普通大众，我们并不提倡需要大量时间、充沛体力以及专业技能支撑、易发生意外和受伤的远程和竞技骑行。总体而言，公司希望老百姓把喜联发的车作为都市时尚休闲工具，城市里一道亮丽的风景。

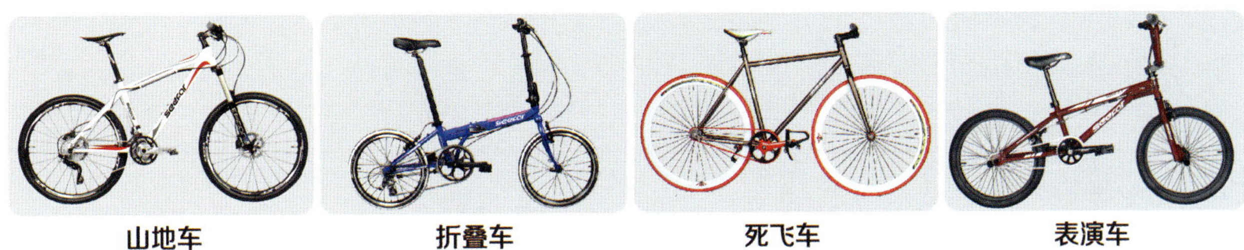

山地车　折叠车　死飞车　表演车

公共自行车建设的一些认识

国家一直大力倡导绿色经济，低碳出行，近年来党中央对民生工程也倍加重视，城市公共自行车作为环保和民生一个良好载体，日益受到各级政府的重视。在环境效益上一辆公共自行车正常使用下每年可减排二氧化碳1.75吨、氮氧化物1.6公斤，可以节省老百姓700元其它公交费用，环境经济和社会效益明显。深圳喜联发健体科技股份有限公司通过几年对公共自行车运作的摸索思考，对城市的公共自行车运作有如下认识供政府和同行借鉴：

⑴ 前期调研至关重要：调研大到城市的气候环境，中到区域布点、人流数据收集，小到网点人员硬件配备和装修都要统筹。对产品的要求和使用更可让普通消费者进行体验后针对改进（产品的设计还要考虑到装卸和调度的方便性）。数据的收集可以通过蹲点观察或小区问卷，也可通过政府公交系统部门的数据进行归纳整理。

⑵ 建立有效公共自行车管理系统：该系统能对各租赁点实时监控，获取各站点各车桩的自行车租赁情况。

① 各租赁点的车辆调度。当一个站点的车辆数目超出站点应有数的70%或者不到20%，系统就能自动示警。把各个站点的容积率（=车辆数/桩位数）进行排序。一目了然进行合理科学调度。

② 坏车查找功能。通过定义坏车功能（如连续3次在2分钟内产生借出归还记录，或者超过一定时间48小时未产生租车记录）。则默认为该车为坏车，并将该车对应站点、桩号显示出来，方便后台维护部门安排人员修理。

③ 自动提醒和锁死功能。在车上安装计时发声/显示器，从离开桩开始计时，在未回桩之前，每隔一段时间进行提醒。遇到台风、暴雨等恶劣天气可以通过总控室进行系统关闭。

⑶ 配备智能锁定车桩：每辆自行车配备一套智能锁定车桩，借还均通过该系统，无需人工管理。即在车桩中安装读卡器，通过智能系统识别租车人的身份信息、联系方式、租车卡号、余额等。自动记录借和还车的时间地点，计算出租车费用。

⑷ 专门的防盗技术：采用专用的车型、非标件螺丝，使得座垫、车铃以及轮组具有防盗性。甚至在上述的计时器中内置GPS定位器、分区跟踪管理。为避免临时停车时被盗，可采用电子密码锁，就如超市储物柜系统一样。

⑸ 专门的防锈技术：轮圈、辐条、齿盘、车身、链条、飞轮、车把等裸露件最好采用铝合金或者做防锈处理。

⑹ 耐用耐磨件的使用：由于骑行的人群广泛，男女老少、高矮胖瘦都有，骑行环境多样：春夏秋冬、严寒酷暑、路况亦有不同。所以把套、座垫、脚踏、车架、前后轴、中轴以及轮胎（免充气）的性能指标都要比普通自行车苛刻。

总体来说，目前国内公共自行车建设还处于摸索阶段，并没有形成一套成熟的体系流程，政府、系统公司、自行车厂各自为战，没形成有效系统配合机制。投资、管理、维护等责任及盈利模式也不明朗。公共自行车作为一个民生工程，还是以公益性为最大出发点。借鉴杭州、武汉、株洲、福州、中山甚至欧洲建设运营的经验和教训。建议前期选址、布点、装修、设备投入等工作必须政府主导投资。建立后交付给专门公司运营管理，明确责权利。设立专门投诉监督热线，先试运行一年，根据状况对专营公司予以适度补贴或者下放经营权（站点广告费、办卡费、公共自行车广告费、站点综合经营、租车费）打包给专营公司让其自负盈亏。

公司简介 COMPANY PROFILE

武汉鑫飞达集团成立于2001年，是一家集城市公共自行车技术应用和运营服务管理、城市共享汽车租赁服务、节能环保服务、再生资源回收利用、户外传媒、绿色商务为一体的绿时代产业集团，旗下共有十六家分公司。目前鑫飞达集团汇集了科技研发团队和自行车运营管理团队等行业的顶尖人才。

武汉鑫飞达集团长期致力于公益、环保、健康、惠民事业，秉承“造福社会 关爱生命 服务民众 维护健康”的企业宗旨，服务于社会大众。在“两型社会”的创建中，鑫飞达集团积极探索创新模式。由集团承办的武汉公共自行车项目首创“政企共建”模式(即“武汉模式”)，即“政府主导、企业承办、社会参与、资源置换、市场化运作”。目前武汉市已形成1218个公共自行车租还服务站点、7万辆公共自行车的运营服务规模，平均每天日租还车量为22万人次，项目连续四年被列入市政府“十件实事”。“武汉模式”运用“政企联手”引入市场化运作机制，建立“两型社会”建设的长效运营模式，破解了“两型社会”创建过程中的难题，促进公益环保事业的健康发展。“武汉模式”的核心价值在于五个创新和一个共同体：分别为观念文化创新、体制机制创新、产业模式创新、技术研发创新、服务管理创新和构建一个社会责任共同体。

武汉鑫飞达集团通过四年的低碳共享交通的实践和探索，已逐步形成由一个中心、两个主题公园和五个产业园构成的“中国绿时代共享交通主题产业基地”工业发展构想。实现低碳产业化、绿色城市化的发展模式，它正在催生一个绿时代的新城，成为中国乃至世界低碳共享交通的产业中心。目前集团也正积极弘扬和践行“敢为人先，追求卓越”的武汉精神，为建设国家中心城市，复兴大武汉做出新的贡献。

项目案例 PROJECT CASE

2009年4月28日，由武汉鑫飞达集团承办的武汉便民公共自行车服务系统是国内由企业投资建设、采用自主研发具有行业领先性和全国性的智能租还车服务系统、市民免费骑行的城市公共自行车运营服务系统，是武汉市绿色共享交通系统的重要组成部分，该项目荣获国家级节能减排示范项目，被授予“湖北省低碳交通推广基地”。

2009年8月~9月“武汉模式”成功复制到江西南昌、安徽池州等地,受到当地政府及社会各界的大力支持。2010年以来项目先后在北京的交通部门、清华大学、湖北省孝感市、宜昌市、辽宁省大连市、西安世园会等地建设试点；建设中的项目有湖南省常德市和海南省；目前与湖北省武当山特区、安徽合肥市、北京市、河南省、河北保定市等多个城市达成合作意向。

2012年5月14日进驻清华大学

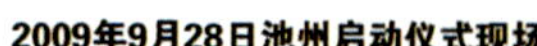
2009年9月28日池州启动仪式现场

2009年8月7日南昌启动仪式现场

产品介绍 PRODUCTS

由武汉鑫飞达集团承办的多地城市公共自行车项目投入的公共自行车数量占全国行业总体投入量的 30% 以上。公司总结多年、多地城市公共自行车运营管理经验，跟踪、分析、总结行业内服务管理得失，不断加大投入，研发、升级、改造公共自行车服务管理系统软、硬件设备设施。目前研发出的基于物联网，云计算技术为一体的系列公共自行车智能运营服务管理系统为全球首创，已形成稳定性、先进性、经济性、功能性强兼具的软、硬件产品系列。整个系统为构建“智慧城市”终端落地，打下了坚实基础。作为“运营服务管理提供商，技术、设备提供商”，公司可根据城市不同的建设运营模式需求，提供相应的软、硬件产品与运营管理业务服务。

鑫飞达集团城市公共自行车运营管理系统共由五个部分组成：(1) 终端智能工控柜；(2) 智能停车杆；(3) 停车锁止器；(4) 专用自行车；(5) 后台及终端管理软件系统。目前鑫飞达集团推出的第四代、第五代产品具有稳定、先进、经济、多功能的特点，适用于各城市建设与发展。

●产品系列介绍

1. 第四代系列产品

(1)撞击式智能停车杆运营管理系统：一根横杆长3.6米，6个停车锁止器。美观、坚固、横杆高度可调，极大的减少地面施工开挖、地面找平，及相应的建设费用。性价比相较同行产品性能先进、造价适中。该系统稳定、耐用、维修简便，借还车流程简单方便。

(2)链条式智能停车杆运营管理系统：一根横杆长3.6米，10个停车锁止器。我集团全球独创的链条式系统。一个标准站点停车棚长度内可锁止10辆公共自行车，相较行内其它产品减少40%的土地使用面积，多存放40%的车辆，在投入同样车辆数的情况下大大的节约了建设成本，同时更降低了后期运营管理、调度、维修维护等成本，是一款性价比极高的系列产品，更方便了使用者的借还。

撞击式智能停车杆

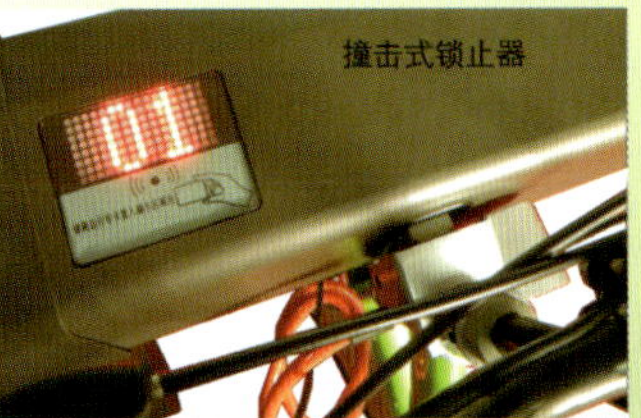
撞击式锁止器

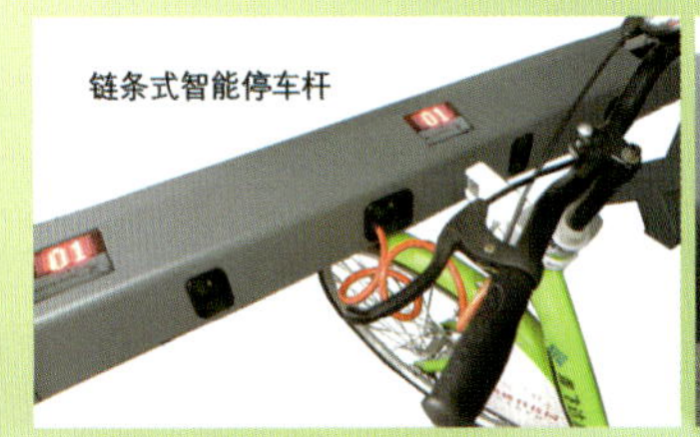
链条式智能停车杆

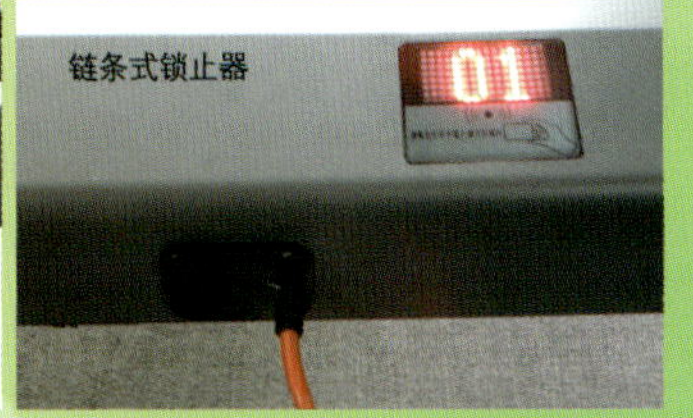
链条式锁止器

2. 第五代系列产品

集成式智能停车杆:长3.6米，10个停车锁止器，其中6个为撞击式，4个为链条式。撞击式与链条式停车设备的完美结合，不但能减少土地使用面积，极大减少建设成本，及运营管理、调度、维修维护等成本，更结合其优点，体现了性价比极高、站点美观、车辆摆放美观、维护简便，方便借还等优点。

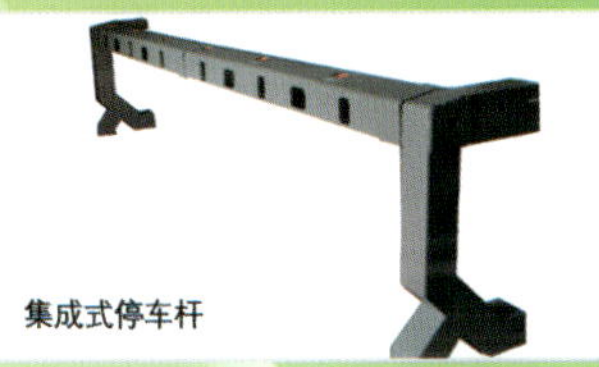
集成式停车杆

●终端控制柜

多功能触控终端智能工控柜：多功能的触控式智能终端主控柜除处理日常站点借还车辆基本功能外，具备电子商务可扩展的所有功能，集票据打印功能、电子结算、便民查询功能、宣传通知播放功能、运营查询功能、数据储存接收发布等功能于一体的查询终端。

●后台及终端运营服务管理软件系统

采用多台服务器集群的方式构建云存储平台，通过集群应用、网格技术和分布式技术，能够适应大数据量的交互与处理工作。整套系统实用性强、功能全面、安全稳定、可扩展性强。同时在界面设计上美观大方，符合使用者的使用习惯。

该系统主要涵盖客户管理、会员管理、通讯管理、设备管理、车辆管理、运营管理、客服中心、调度中心、报表中心、门户网站等多项功能。

终端控制柜

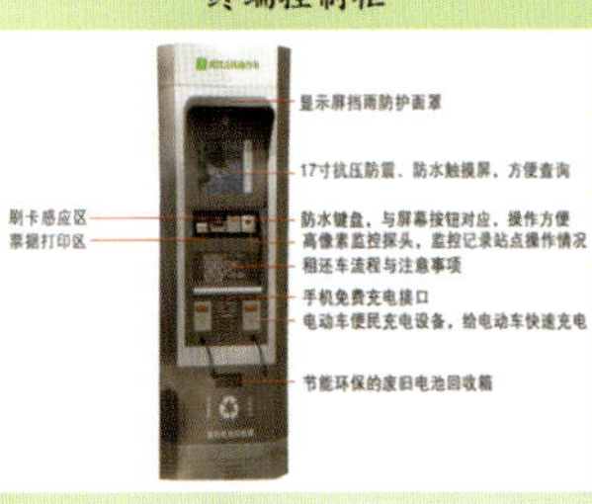

智能终端工控柜用户操作界面

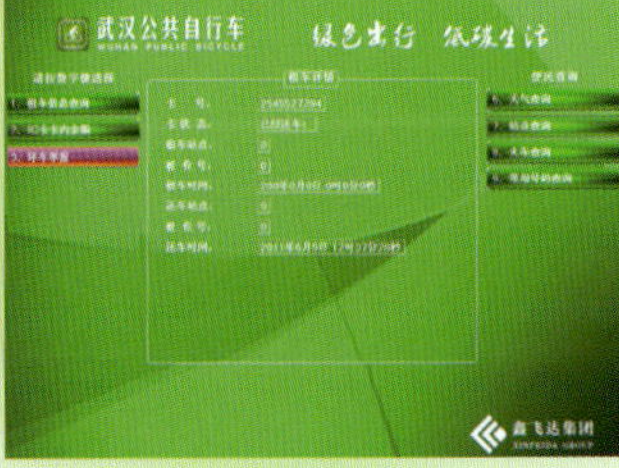

管理平台系统登录界面

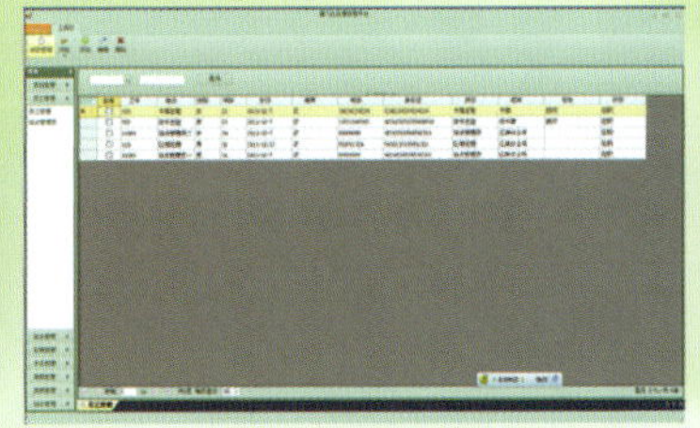

管理平台操作界面

武汉鑫飞达集团
ADD:湖北省武汉市江岸区二七路航天商务广场B座9楼(430012)
TEL:027-83601566总机/027-82299198投资拓展中心　FAX:027-83620812

气体燃料
服务
环保解决方案
效率
通往利益
最大化
的捷径
瓦锡兰致力于提供最完整的船用解决方案来优化产品生命周期的价值，从而满足客户需求。让我们共同努力为您寻找最佳的捷径。www.wartsila.com
ENERGY
ENVIRONMENT
ECONOMY
WÄRTSILÄ

上海外高桥保税物流园区

ShangHai WaiGaoQiao BaoShuiWuLiu YuanQu

上海外高桥保税物流园区经国务院批准于2004年4月15日由海关总署等八部委联合验收封关运作，成为我国首家保税物流园区。经过五年多的开发建设，园区已经建成45万平方米仓库，14万平方米集装箱转运区以及卡口和关检等配套设施；引进中外物流企业29家，贸易公司56家，累计引进外资4亿美元；开发面积1.03平方公里，总投资33亿元人民币，2012年进出区货值1014亿美元，海关税收实现100.8亿元人民币。

经过多年来的开发建设，园区已基本实现与港区的规划联动、信息联动、政策联动、业务联动和利益联动，充分体现了保税物流园区对国际现代物流业转移的承接能力和产业的集群效应，开拓了国际采购、国际配送、国际中转和转口贸易的功能，提高了政策应用能力，推进了服务管理创新。以日本大创百元超市为代表的跨国采购；以索尼、尼桑和华硕为代表国际配送；以三得利、ACE和美孚为代表的国际转口贸易以及DHL、UPS、TNT等跨国物流公司在园区的营运为园区现代物流业的发展注入了活力，发挥了制造业、商业零售业联动长三角、连接国际物流网络的桥梁作用。

上海外高桥物流中心有限公司作为园区开发建设、招商引资、营运管理和客户服务的主体，将围绕上海两个中心建设的总体要求，发挥先行先试的示范作用，着力于区港联动向区港一体化提升；功能创新、联动发展向长三角辐射；监管系统向长三角通关一体化延伸；保税物流运作向制造业紧密融合。依托两个中心建设，实施对外联动，提高现代物流领域的对外开放水平，力争“十二五”期间，园区实现“四个一”的目标：建成100万平方米仓库和场地，引进100家中外物流企业，年集装箱综合处理能力达到100万TEU，实现年进出区货值1000亿美元，为上海发展现代服务业作出新的贡献。

更多信息，敬请登录
www.wblz.com.cn

DST
德士达光电照明
DST LIGHTING

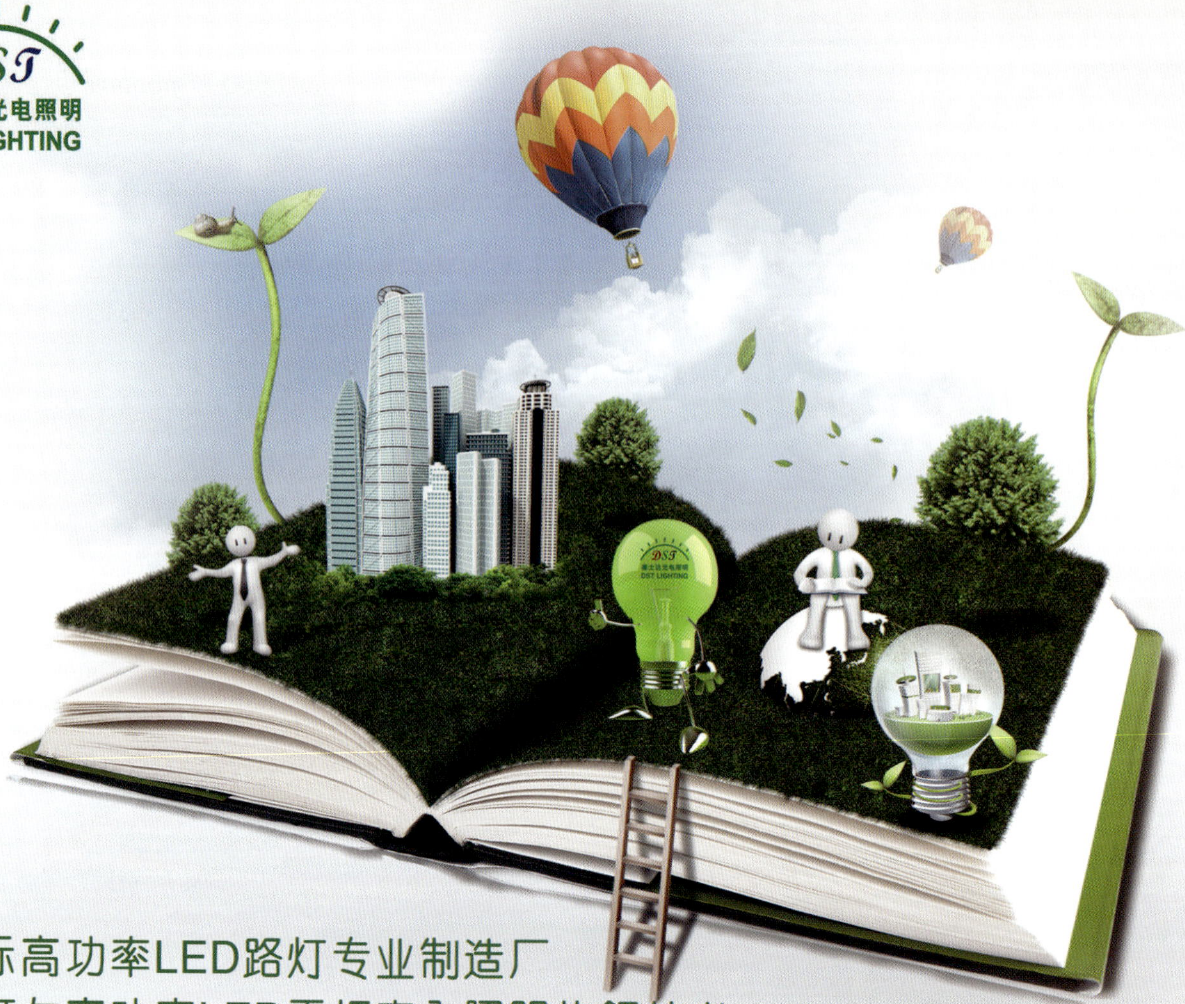

国际高功率LED路灯专业制造厂
路灯与高功率LED平板室内照明的领航者

德士达光电照明科技(湖州)有限公司，是中国照明行业的领军企业、浙江省长兴新能源产业发展规划龙头培育企业之一，深圳市与黑龙江省半导体照明技术标准工作组成员，广东省绿色标竿体系入围合格企业之一，拥有光电实验室、科研工作站，获颁2011年中国新能源产业发展最具影响力企业，是LED道路照明、商用照明、景观照明、家居照明、太阳能、风能应用、特种照明等产品综合应用解决方案供应商和EMC商业模式提供商。

公司位于浙江长兴国家级高新科技创新园区，新厂建设地点位于浙江省长兴国家级经济技术开发区经二路，致力于LED照明产品的研发、生产、销售及工程设计一体化的高科技复合型企业。研发、生产的照明产品涵盖LED道路照明、LED户外照明、办公照明、商业照明、工业照明、亮化照明等多个领域，系北京大学、哈尔滨工业大学半导体照明领域合作伙伴，公司凭借多年来生产研发经验，拥有一批经验丰富的LED照明灯具电子工程师、亮化设计师和专业的研发机构,不仅能很好地为客户提供专业的灯光设计、施工等配套服务、也能为客户提供强有力的技术支持，拥有大规模的LED生产基地。北京残奥会馆、中南海宽沟隧道工程项目、北京市发改委LED芳古路试点工程、上海世博会、深圳大运会、北京108国道节能技改工程项目，德士达光电凭借性能卓越的产品与研发优势、赢得照明工程方的充分肯定。

经营理念>>>

与同业友好合作，共创新能源产业发展
推动品牌国际化，致力于绿色环保责任
人才菁英铸盘石，打造LED产业领头羊
创新研发集群力，产品感性科技又节能
抓准市场大机遇，群策群力齐心创辉煌

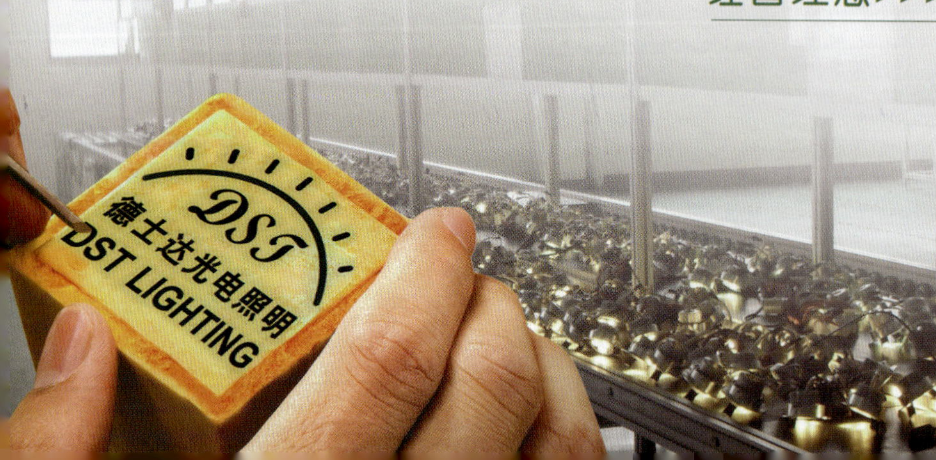

德士达光电照明科技(湖州)有限公司对于所有的产品线，矢志以新能源领头羊，全球知名品牌发展的目标，目前国内排名与亚洲优势地位的主力产品，包括：LED路灯、商业照明产品、隧道照明产品、LED台灯、发光二极体（LED）等。德士达光电LED路灯在市场上始终保持领先性，商业照明产品、隧道照明产品、LED台灯都在亚洲占有举足轻重的地位。

企业并不是独立存在的，它处在整个社会环境之中，与社会有着千丝万缕的联系，它不可能脱离社会独自生存和发展，在发展的历程中，在承担发展所必然肩负的责任的同时，也承担着社会责任。“LED 行业有一种特性就是节能环保。目前，环保节能正是社会发展的大趋势，大陆近几年来经济发展迅速，但是也给环境带来了很大的污染。人总是在追求一种成就感，但更多的应该是对社会的责任感，我们应该做出些对社会，对下一代有益的事情。除了因应国家于世界各国的节能政策外，更应为降低全球气候暖化，节电省油减少二氧化碳之排放量，尽企业的一己之责。”

重点工程>>>

(1) 浙江长兴太湖大桥
(2) 浙江长兴杨家埔大桥
(3) 浙江长兴合溪新港大桥
(4) 中南海宽沟隧道重点工程
(5) 上海世博会投光照明工程项目
(6) 北京芳古路LED路灯工程项目
(7) 中石油华北油田渤海西路照明工程
(8) 深圳市大运会滨海大道投光照明工程
(9) 北京108国道门头沟隧道照明工程项目

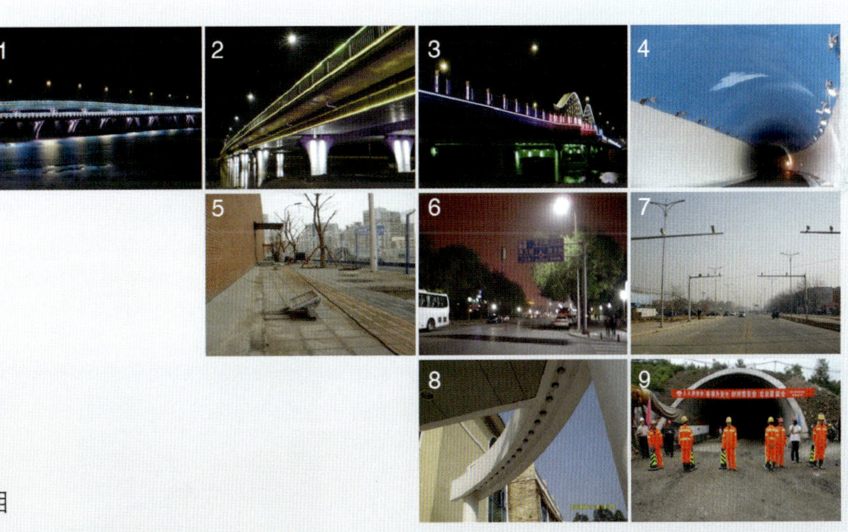

公司资质>>>

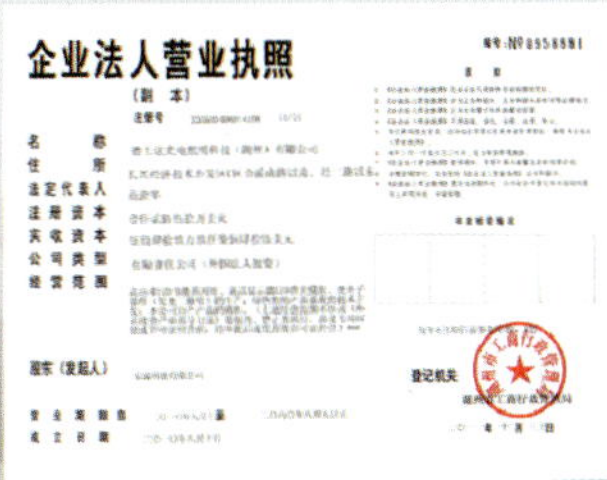

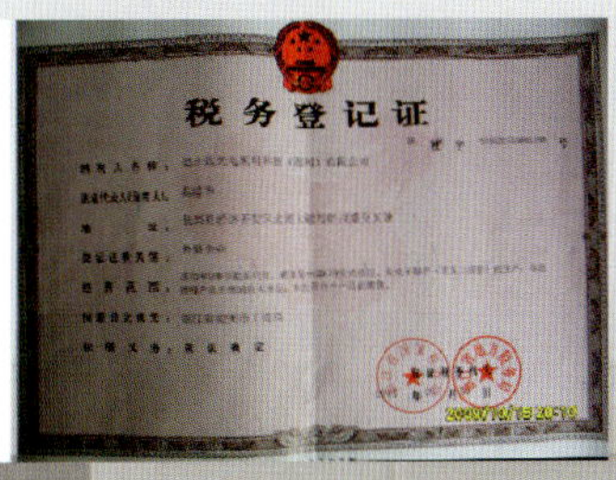

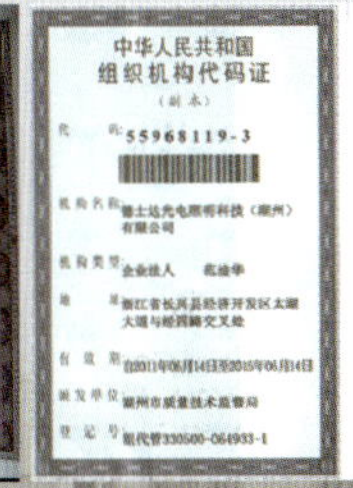

德士达光电照明科技(湖州)有限公司

【成都双流国际机场】

成都双流国际机场是中国中西部最繁忙的民用机场，也是全国第五，西部第一大机场。经过激烈的角逐，音浮光电在众多国际国内照明厂商中脱颖而出，成功中标双流机场T2航站楼的照明工程，包括VIP区，AOC、TOC、运控中心，CD连廊等区域。该项目于2012年完工，并顺利通过中国民航总局的验收，其中，照明灯光部得到了专家们的高度评价，同时也奠定了音浮光电在机场航站楼LED照明领域的领导者地位。

【招商银行大厦】

作为中国最知名的商业银行之一，招行对于照明灯光的要求远远高于一般的行业标准。2011年，音浮光电承接了招商银行重庆分行办公大楼的整体照明工程。该项目全部采用音浮品牌的LED照明灯具，经过精心备货，缜密施工，照明效果均达到或超过了用户的需求。同时，此照明工程也成为音浮光电在金融领域的标志性工程之一，进一步巩固了了音浮光电在高端照明领域的领先者的地位。

【滨江皇冠假日酒店】

滨江皇冠假日酒店是洲际酒店管理集团旗下的皇冠假日酒店品牌在渝的首家国际标准五星级酒店，总计客房达到500多间。音浮光电承接该酒店所有室内非标灯饰及照明系统整体工程，也是音浮光电在国际五星级标准酒店灯室内非标饰设计与照明工程领域的重大突破。

【港鑫大厦】

港鑫公司是中国建筑装饰百强企业，也是全国首批建筑装饰行业信用等级AAA级企业。作为一家专业的终端用户，港鑫对于灯光效果的要求极其挑剔，对于灯具的选择要求也十分严格。

音浮光电为其总部大厦提供了整体的照明解决方案，凭借高品质的LED照明灯具以及专业化的服务水准，承接了该项目的室内外整体照明工程并于2010年完工。运行2年多以来，整体照明效果受到了用户的高度评价，灯具故障率极低，为用户的发展创造了节能环保的外围支持，同时也为音浮的LED照明产品在办公室照明领域的应用增添了重要的一笔。

【长江"黄金一号"邮轮】

"黄金一号"邮轮为我国内河领域第一艘超五星级豪华邮轮，音浮光电主导并完成了该邮轮的整体照明工程，对其外景及室内灯光设计以高贵、典雅、质感和视觉冲击力为主线，突出五星级邮轮应有的豪华、尊贵感，同时兼顾视觉舒适性。所有邮轮外景灯饰的均选用LED灯具，卧房则选用色温更为柔和的暖色调LED光源，结合音浮智能可调光系统，营造出温馨宜人的室内氛围。

【百事达汽车城】

百事达是一家汽车综合服务平台，目前代理奔驰、大众、丰田、雪佛兰等11个著名品牌，拥有12家品牌4s店。该汽车城服务店展厅约650平方米，车间3000平方米，办公楼1000平方米。作为高端照明的应用场所，音浮光电提供了整体照明解决方案，以其高显指，高亮度的LED照明灯具，完美地满足了汽车展示，车辆维护，销售服务等区域的照明需求。同时，该工程也成为音浮光电在汽车展示领域的样板工程，大大延伸了LED照明的应用范围，为行业发展做出了积极的示范的作用。

部分工程案例

西安市高新区西沣路LED路灯工程

(西北地区最长一级公路LED照明工程 全长10.8公里 用灯631盏)

陕西宝鸡市高新开发区路灯工程

陕西宝鸡千阳岭隧道

泾高北路

陕西宝鸡市周文化礼乐城

陕西烽火佰鸿光电科技有限公司

公司地址： 陕西省西安市高新6路28号 (710075) 联系电话： 029-82300726 传 真： 029-82300723

东莞东海龙环保科技有限公司

东莞东海龙环保科技有限公司成立于2004年3月，是东莞市一家独资型生产企业，2004年公司投资5000多万在东莞市常平镇朗洲村建立了占地40余亩的光电工业园，全心致力于太阳能光伏应用系列产品、LED照明应用产品、风力发电等系列产品的研发、生产、销售和服务。自2005年始，公司陆续通过了ISO9001：2008国际质量管理体系认证、ISO14001：2004环境管理体系认证，拥有自己的“E.S.D”注册商标、“中国市场著名品牌”荣誉证书、“中国AAA重质量、守信用企业”称号，企业亦被评为“国家高新技术企业”、“东莞市专利培育企业”；成为“东莞市能源协会会员单位”、东莞市半导体照明行业协会理事单位”、“深圳市LED产业联合会理事单位”、“中国-阿拉伯国家广东省贸易促进会会员”、“世界杰出华商协会理事单位”。

公司自主研发生产的太阳能应用系列产品、LED室内/外照明产品等共获得30多项实用新型专利、发明专利、外观设计专利等，部分产品被评为“广东省高新技术产品”、“广东省重点新产品”，并获得CE国际安规认证及其它行业权威资质证书；其中太阳能应用产品已经通过质量技术监督局、公安部及信息产业部专业技术鉴定，并获得独立光伏系统“金太阳认证”，所生产的产品完全符合国家相关执行标准和认证要求。

2011年7月，大功率LED路灯通过“广东省LED路灯产品评价标杆体系”的认定，进入《广东省绿色照明示范城市推荐采购产品目录（20101207）》；2011年8月，公司进入国家发改委〈节能服务公司备案名单（第三批）〉，在2011年7月1日以后签订的合同能源管理项目，可以申请享受国家财政奖励补贴。

2008年12月19日，公司正式成立“东莞市东海龙可再生能源研究所”研究所由中国科学院电工所李安定教授为所长、携中山大学、合肥工业大学、中国照明学会、中国光伏标准委员会委员及美国华人科学家，并邀请中国照明协会、中国农村能源小电源专委会及中国太阳能行业协会等多名业内权威专家为组员的研发团队组成；同时公司与南昌大学、中山大学佛山研究院、合肥工业大学（苏博士）分别达成产学研合作协议，指导和帮助大力发展包括太阳能光伏应用产品、太阳能热电、风力发电以及LED照明应用在内的可再生能源节能应用领域的研究和产业化工作，为我司太阳能、风力发电、LED照明应用系列等产品继续领航国内光伏应用产业提供有力的技术保障。

主要产品

1）LED照明应用系列产品

（大功率LED路灯、LED隧道灯、LED防爆灯、LED广告射灯、LED日光灯、LED天花灯、LED灯杯、LED吸顶灯等）；

2）太阳能照明系列产品（太阳能路灯、太阳能庭院灯和太阳能草坪灯）；

3）太阳能户用电源；

4）风光互补路灯系列；

5）风光互补发电系统、太阳能控制器和微风发电应用一系列光伏（风力）电源应用产品等50多个系列200多种产品，年产值可达1.5亿元，光伏系列产品销售到世界20多个国家或地区。

东莞市常平镇新城大道北段LED路灯照明工程（F、G款）

塘厦诸佛岭加油站LED防爆灯照明项目

佛山市顺德区马岗大道LED路灯照明示范项目

东莞南城LED路灯照明节能改造项目（路段一、路段二）

东莞市常平镇常兴路、环常南路LED路灯照明工程（F款）

江西广丰县城市重点项目建设西溪河LED灯具照明改造工程

广州人武部 LED室内照明灯具项目（LED球泡灯/LED日光灯/LED天花灯/LED吸顶灯）

胶州市社会主义新农村建设“送光明到农村”太阳能照明工程

吉林省抚松县松抚公路板石至松江河段太阳能路灯照明工程

东莞市景湖湾畔太阳能草坪灯照明工程

凤县福利院太阳能路灯照明工程

东莞建设局太阳能灯具照明示范工程

深圳比克公司风光互补路灯照明项目

长沙金夏路风光互补路灯照明项目

济南卷烟厂太阳能光伏照明工程

地址：广东省东莞市常平镇朗洲村东海龙光电工业园
电话：0769-83506181 传真：0769-83506180 E-mail:admin@donghailongcn.com

更多详情，敬请登录
www.donghailongcn.com

关于 Bentley Systems, Incorporated

“Bentley 公司始终致力于为设计、建造并运营全球基础设施的企业和专业人员提供创新的软件及服务，促进全球经济和环境的可持续发展，实现生活品质的提高。”

Bentley 公司是一家全球领先的企业，致力于为建筑师、工程师、地理信息专业人士、施工人员和业主运营商提供促进基础设施可持续发展的综合软件解决方案。公司的解决方案包括用于设计和建模的 MicroStation 平台、用于协作和工作共享的 ProjectWise 平台以及用于资产运营的 AssetWise 平台 – 以上解决方案均支持一系列数据互用的应用程序组合，并辅以全球专业服务。

Bentley 公司创建于 1984 年，在超过 50 个国家/地区拥有 3000 余名员工，年营收超过5亿美元。自 2003 年以来，公司在研发和收购方面已经投入逾 10 亿美元。

信息建模

Bentley 的 MicroStation 信息建模环境用于公用事业系统、交通运输、桥梁、建筑、通讯网络、给排水管网、流程制造业工厂、采矿及金属冶炼等各类基础设施的设计、工程、建造与运营。它既是软件应用程序，也是技术平台。

综合项目

ProjectWise 是用于基础设施设计建造中 AECO 信息管理的协作服务器和服务系统，具有审查、批注、碰撞检查、可视化、自动发布等安全可控的工作共享、内容重复利用、动态反馈功能。

智能基础设施

AssetWise 既是服务器，也是服务系统。它为业主运营商高度工程化的资产提供资产全生命周期管理服务，在改进工程信息一体化和运营效率的同时，确保业务流程与整个生命周期内的可持续性基础设施的无缝集成。该系列产品包括：eB Insight, Exor, Ivara EXP 等诸多产品。

www.econolitegroup.com

ITS 领域的“产品”

Econolite Group, Inc.

- 1969 – 感应式交通控制信号机
- 1973 – 微处理器核心技术交通控制信号机
- 1975 – NEMA TS–1型交通控制信号机
- 1983 – 大范围应用闭环干道控制系统
- 1992 – NEMA TS–2类型1交通控制机柜
- 1995 – 具有多摄像机输入的视频车辆检测系统
- 2003 – 基于网络的交通数据采集和管理系统
- 2005 – 车辆与交通设施通讯的V21智能车联网系统
- 2008 – 双向控制机柜安全技术

我们之所以有充分的信心对ITS领域做出如此承诺，是因为我们一直在不断提升自身的技术能力，包括硬件和软件产品研发、改进评估体系、最佳实践管理体系、测试过程及技术服务。因此，我们取得的辉煌成就包括在全世界部署了5万套交通控制信号机，控制着超过12万个交叉口，并且在全世界范围内的交叉口和高速公路上部署了超过12万套广角视频车辆检测系统。

从1933年开业至今，易控亮集团有限公司(Econolite Group, Inc.)已成为交通管理解决方案提供商和生产商的领导者，其解决方案包括高级交通控制信号机(NEMA及ATC/2070)、Centracs® 及Aries® 高级交通管理系统(ATMS)、Centracs Adaptive自适应系统、Autoscope® 车辆检测系统、RTMS®、干道系统主控机、车辆和行人信号灯、交通控制机柜、数据采集和管理系统(Centracs DCMS)以及全系列交通维护服务。易控亮承诺应用先进技术实现缩短旅行时间、缓解交通拥堵和减少尾气排放，从而改善驾驶体验以及提高所有交通参与者的出行安全。

易控亮集团呈现为伞式组织，由从事航空航天、医疗、广播以及交通管理行业的私有公司构成。易控亮集团公司包括易控亮公司、易控亮加拿大公司(易控亮公司分公司)、Safetran交通系统有限公司、California Chassis公司以及Aegis ITS公司。

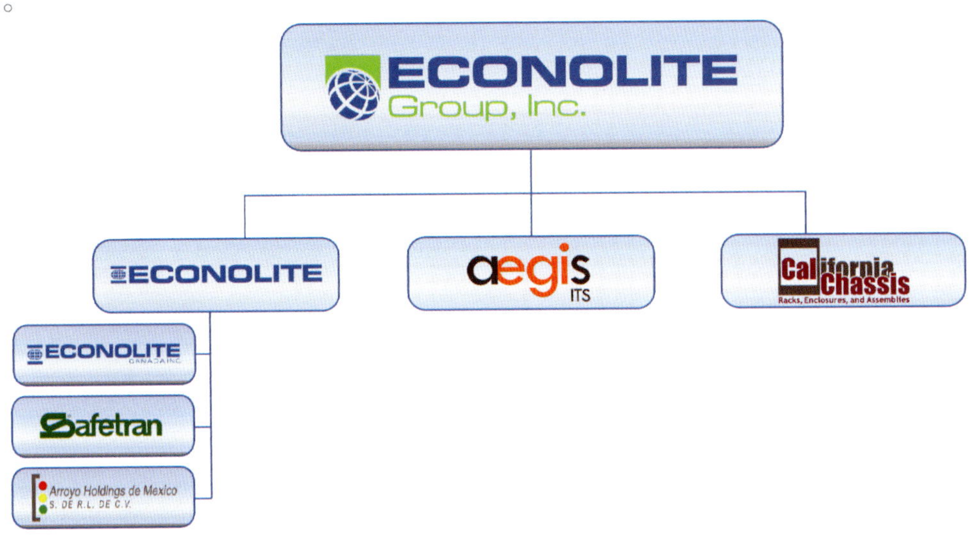

易控亮集团拥有80年交通管理的优良传统和诸多ITS(智能交通)领域的“第一”。坚实的基础结合对质量、创新和品牌领导地位的承诺，一直是易控亮集团发展战略的核心价值观，并将不断增强为全世界驾车公众服务的能力。

易控亮集团始终专注于为用户提供最优的ITS解决方案。与合作伙伴一道，易控亮集团随时准备着为用户提供优质的服务、产品和技术支持，满足用户在ITS方面的需求。

- **我们核心竞争力包括：**

工程设计——易控亮集团为用户提供的交通控制工程设计服务包括系统工程和设计、通讯系统设计及系统优化。易控亮集团各个公司通过与多个工业领域内最成功的原始设备制造商(OEM)以及承包商之间建立并保持牢固的合作关系，为用户提供最优的解决方案。

软件开发和系统集成——易控亮集团为定制系统提供软件开发服务。除了一系列行业领先的软件产品，例如CentracsATMS，易控亮集团还为用户提供软件开发和第三方系统集成服务，例如TrafficCastBlueTOAD™、ISS machine vision、仿真和模型系统以及中心到中心通信等。

硬件研发生产、设备安装调试及构建通讯系统——易控亮集团自身不仅长期具有设备安装和系统集成、机电产品装配以及完成定制系统方面的能力，而且在与承包商、原始设备制造商和各级地方政府合作方面有着丰富的经验。这些能力还包括项目管理、设备和通讯系统安装、辅助基础设施施工以及系统集成(将多种不同来源的各个独立组成部分组成一个功能强大的、有效的网络系统解决方案)。

现在，易控亮集团已经拥有超过750名员工，并创造了集中式交通信号管理系统的开发及应用方面的辉煌历史。从最初的icons®到目前的 Centracs ATMS，易控亮集团已经安装了许多中央高级交通管理系统，很多交通状况十分复杂的交通管理部门都从中获益。事实上，已经有超过130家交通管理部门选择Centracs ATMS作为其交通管理的解决方案。

- **我们的使命**

易控亮集团是交通管理解决方案领域的创新者，我们的使命是向我们的客户群、员工和供货商提供无与伦比的质量、服务和价值。

如需获得更多有关易控亮集团的信息，请访问www.econolitegroup.com.

华豹(天津)涂料股份有限公司、山西华豹涂料有限公司、太原市华豹装饰工程有限公司、华豹涂料销售有限公司和华豹涂料物流有限公司，是集涂料研发、生产、销售和涂装为一体，旨在向社会提供绿色环保涂料及涂膜的综合性企业。

公司目前生产的主导产品为水性工业漆、铁路专用漆、重防腐漆等系列产品。截至到2010年底，已形成年产1.5万吨涂料、2亿平方米涂膜的涂装施工能力，是中国铁路机车、车辆涂料的主要供应企业之一，是机车、车辆最主要的涂装施工企业。

山西华豹涂料有限公司成立于1997年6月18日，是华豹涂料的母体企业。自公司成立以来，不断引进国外先进技术，研制开发、生产了铁路货车用水性工业漆、汽车专用水性工业漆、大型桥梁用水性工业漆、水性防火漆、水性集装箱漆和船舶水性工业漆及其他水性工业漆等，是用新型环保节能产品(水性工业漆)完全替代溶剂型涂料的倡导企业。

为了满足市场对水性工业漆的需要，2010年8月18日在天津成立了华豹(天津)涂料股份有限公司，筹建年产10万吨环保型水性工业漆专业化生产基地。

华豹涂料北京办事处
地 址：北京市复兴路17号国海广场D座1216室
电 话：010-58690507（传真）
企业邮箱：huabao@hb-coatings.com

华豹（天津）涂料股份有限公司
地 址：天津市武清区崔黄口镇兴通路2号
电 话：022-59695802

山西华豹涂料有限公司
地 址：山西省太原市汾东南路7号
电 话：0351-7265678　传真：0351-7175502

www.hb-coatings.com

BAC大连有限公司 BAC DALIAN CO.,LTD

BAC大连有限公司总经理 徐雄冠

BAC大连有限公司是大连冰山集团和美国BAC公司共同投资于1997年10月成立的合资公司，主要是从事研发、制造和面向中国及亚太地区销售具有世界领先水平的蒸发式冷凝器、流体冷却器、蓄冰装置等大型热交换设备。公司现址辽宁省大连市高新技术园区广贤路65号，厂房占地2.2万平方米，现有员工近170人。

近年来，BAC大连有限公司以"**B**usiness from Integrity(生意来自德行)，**A**dvantage through Innovation(进步来自创新)，**C**oncentration on People（企业以人为本）为经营理念；把"以人为本，以德为尚，以和为贵，以厂为家"作为企业核心价值观；从用户及客户着想，把"产品体现人品、人品决定产品"作为服务的原则；提出" 高效、节能创新"作为企业发展方向，真正落实到"**B**reak through(突破)、**A**ction plan(行动)、**C**heck out(检查)"。拥有国际顶尖水平高频制管线（百余米连续无焊点、美国进口色玛图尔自动焊管机、自动涡流探伤）、弯管线、全位置自动管板焊机、数控剪床、数控折弯机床及进口数控冲床等先进设备；以确保产品的技术与美国技术保持"三同步"，即：同步开发、同步技术、同步标准，并争取超过美国技术。产品广泛应用于电力行业：国家西电东输超高压输变电七大标段；应用于钢铁行业：先后完成了武钢、杭钢、首钢、首钢迁安项目、鞍钢高炉改造济钢改造等；空调行业：使用冰蓄冷装置，上海世博会中国馆、上海世博会演艺中心、上海世博会电力展馆、上海世博会行政大楼、国家博物馆等国家标志性项目；重点开发适应市场需要的不锈钢和铜盘管的闭式冷却塔，并全面推出应用范围广，先后已应用多家大型钢厂；应用于车行业：成功地应用在本田、宝马、奔驰等品牌；应用于数据处理中心：万国数据，北京高铁数据调度中心项目等等。公司产品还遍及：菲律宾、泰国、缅甸、印度、新加坡、印度尼西亚、马来西亚、巴基斯坦等亚洲各地。

连续盘管制管线

多年来，BAC大连有限公司始终处于同行业排头兵地位，连续多年被认定为"高新技术企业"；公司通过了ISO9001 、14001、18001质量、环境、职业健康安全管理体系认证；通过了美国FM、ASME认证；并连续多年被评为大连市"十大人均高利润外商投资企业"；辽宁省用户满意产品、用户满意工程、用户满意企业，全国用户满意产品、用户满意企业；获得大连名牌、辽宁名牌产品；荣获2010年首届推出的"节能中国贡献奖"、2011年"节能中国十大新技术应用奖"；公司总经理徐雄冠被评为"节能中国十大先进人物"， 获"辽宁省省长质量奖" 及大连市"五一奖章"。

BAC大连有限公司 BAC DALIAN CO.,LTD

BAC产品应用实例

交通运输行业

北京铁路局

成都地铁天府广场站

成都地铁1号线

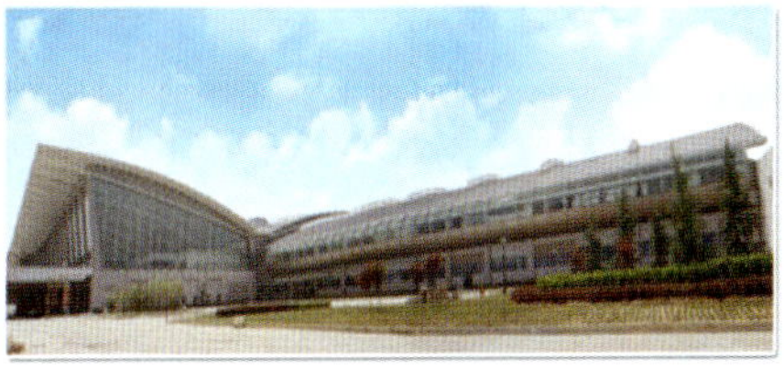

陕西西安咸阳国际机场

上海铁路南站

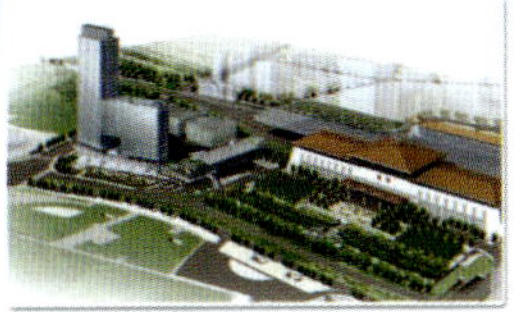

武昌火车站

上海国际航运中心

钢铁冶金行业

新余钢铁有限公司

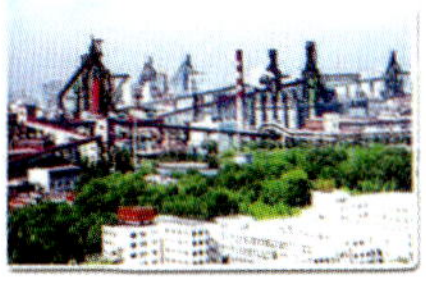

鞍山钢铁集团

首都钢铁集团

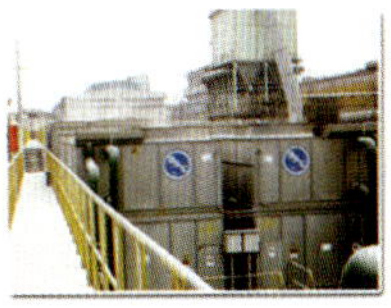

武汉钢铁集团

杭州钢铁集团

石化行业

浙江永农化工公司

重庆宜化公司

抚顺石化石油一厂

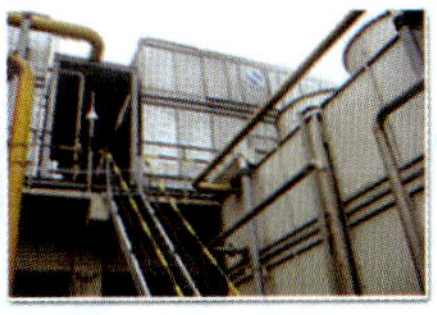

湖北宜化公司

山东润风化工公司

超高压电力输变电力行业

云南楚雄换流站

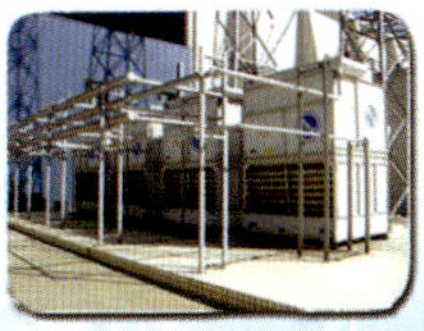

贵州兴仁换流站

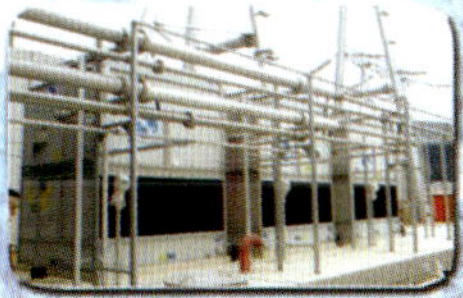

广东增城换流站

上海漕河泾

建筑空调行业

上海科技诚

上海ABB

广州大学城

北京中关村

Intel

CCTV新办公楼

上海世博演艺中心

上海世博会行政中心

上海世博会中国馆

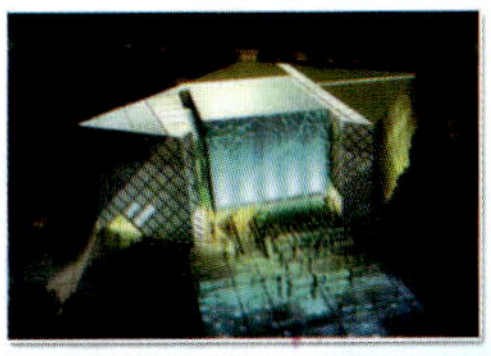

上海世博会电力馆

上海金茂大厦

汽车行业

上海通用汽车厂

武昌东风本田汽车厂

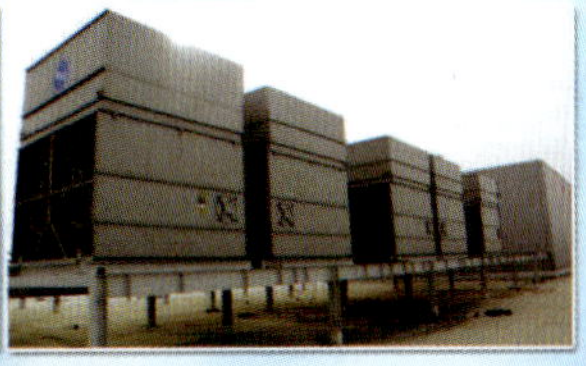

沈阳华晨宝马

上海大众汽车有限公司

BAC开式冷却塔

BAC开式冷却塔采用环保的蒸发冷却工艺，最大程度地满足客户对降低能耗和运行经济的需求。

3000系列
旗舰产品，行业标杆

- 引风横流钢塔
- 处理量：220~1350标准冷吨
- FM防火认证
- 抗震等级SDS可达3.1g；防风等级可达82psf（17级飓风）
- 多种静音运行方案，最高降噪22dB
- BALTIGUARD™节能风机驱动系统

ACT系列
高品质玻璃钢冷却塔

- 引风横流玻璃钢塔
- 处理量：132~1082标准冷吨
- 结构强度高，使用寿命长
- 理想的抗腐蚀设备，性能可靠，价格更具竞争力
- 高效风机驱动系统，配以可选的双速马达和变频马达，使设备以最低能耗，带来最高热力性能

1500系列
改造项目的最佳解决方案

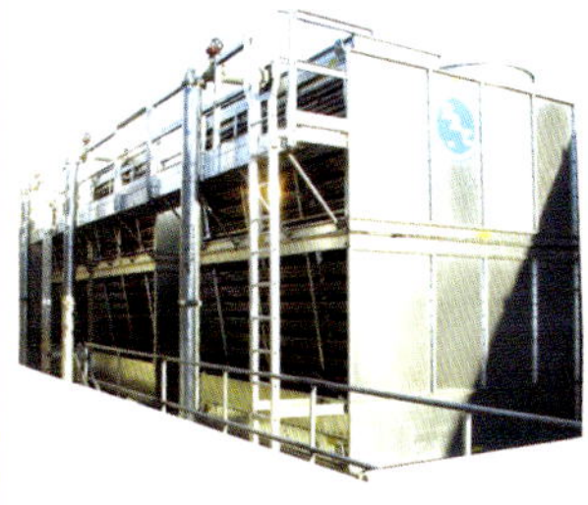

- 引风横流钢塔
- 处理量：128~428标准冷吨
- 多种静音运行方案，最高降噪20dB
- BALTIGUARD™节能风机驱动系统
- 独立风机运行系统，运行更加可靠节能

V系列
现场排布解决专家

- 鼓风逆流钢塔
- 处理量：12~1335标准冷吨
- 可选的进出口消音器，可将噪音最低降至39dB
- BALTIGUARD™节能风机驱动系统
- 适用于室内、室外及地下室安装

专业服务

BAC所有的员工包括合作伙伴都会以客户至上为宗旨。

不管您是和BAC代表处接洽，或是直接浏览我们的网站（www.BaltimoreAircoil.com）,您的要求都能得到最大的满足。从最初的谈判到安装以及售后服务，我们都有一支专业的队伍为您服务。

销售渠道

BAC拥有一支经验丰富的专业队伍和广泛的技术资源，针对您具体的要求提供及时的本地支持。我们遍布全球的代表处也为项目的顺利进行提供了本地化和国际化的支持。

舒适地铁“静”生活

>> 概述

- ✓ 该地铁线经城市主要道路，连接全市主要城区，线路全长24.3公里，全线共设22座车站。
- ✓ 此地铁项目的通风空调系统由隧道通风系统、车站公共区通风空调系统（简称车站大系统）、车站设备管理用房通风系统（简称车站小系统）和空调水系统组成，冷却水设计温差为5℃（入水37℃，出水32℃）。

>> 现场条件

- ✓ 站点一：现场条件限制，冷却塔只能三面靠墙排布，且距离设备进风口10米处有一商场，需严格控制冷却塔运行噪声
- ✓ 站点二：冷却塔与居民楼相距仅20米左右，且居民楼比冷却塔高约20米，因此对冷却塔出风口噪声要求较高

现场布置图

>>BAC针对性解决方案

针对该地铁站对冷却塔运行声音及现场排布的严苛要求，BAC专业技术团队提供了针对性的解决方案：

- ✓ 选用BAC公司1500系列单面进风的开式冷却塔设备，可三面靠墙排布。
- ✓ 选用BAC超静音风扇。客户委托第三方机构进行出厂测试，依照GB/T 7190.1—2008的冷却塔噪音测试标准，测得的出风口运行声音仅为59dBA，进风面运行声音仅为57dBA。

冷却塔噪音等级测试

>>为什么BAC的设备能完美满足地铁类项目的要求？

✓ BAC冷却塔全部通过CTI认证

严格的CTI认证程序和每年的例行抽检及投诉机制，保证获得CTI认证的冷却塔性能100%符合设计要求。

CTI热力性能认证

✓ 多种静音运行方案

离心风扇机组：离心风扇本身噪声较低，并可利用其抗外压的特性，在进、出风口外接风管，进一步降低噪声。

VFD变频马达：可最大程度的降低启动噪声。

专利的BALTIGUARD™风机驱动系统：配有大小马达，当负荷较低时，可仅运行小马达，同时降低噪声及能耗。

超静音风扇

地铁类项目冷却塔选择要点

> 为乘客提供恒定舒适的候车环境
> 静音运行，减少对周边影响
> 满足地铁站点特殊的排布条件
> 为分站供冷和集中冷站选择合适的冷却塔

√ 各种排布难题的“解决专家”

狭小空间，可选用BAC公司1500系列冷却塔。同时，1500系列也是理想的项目改造替换设备。BAC公司的V系列冷却塔是“现场排布解决专家”，特别适用于室内、地下室及外接风管的各种排布要求。

现场排布无特殊要求时，推荐双面进风横流冷却塔，例如BAC公司的3000系列钢塔及ACT系列玻璃钢塔，均为行业标杆产品。

专利的BALTIGUARD™风扇系统

√ 保证长年可靠运行

高强度的结构设计配以高规格的强耐腐蚀性结构材质保证了更长的设备使用寿命。

专利的BALTIDRIVE®风机驱动系统，集BAC公司70余年冷却塔制造经验而获得，其卓越的性能与品质经过全球数以万计的成功项目案例验证。该系统采用特殊防腐材质，结合先进技术，确保维护简便及长年可靠运行。

1500系列三面靠墙排布

√ 防火安全保障

地铁全年运行，并且客流量大，从保证地铁运营安全角度出发，BAC推荐选用3000/1500/V系列钢塔，杜绝可能会造成火灾的隐患，保障系统安全运行。当项目需要申请FM防火保险时，BAC推荐具有FM认证的3000系列钢塔来满足相应需求。

FM 防火认证

√ 单台设备处理量范围大：12–1，350冷吨

BAC冷却塔单台设备处理量范围从12–1,350冷吨，设备平均占地面积小，不管是分站供冷还是集中冷站，或者是多线换乘枢纽站，都可轻松满足其冷量及排布需要。

>> BAC 开式冷却塔用于其他类似交通运输项目的部分应用实例

项目名称	总处理量（标准冷吨）	项目名称	总处理量（标准冷吨）
广州地铁1号线	4,174	上海人民广场地铁站	2,180
广州地铁3号线	3,146	上海济阳路地铁站	730
广州地铁6号线	2,592	上海世纪大道地铁站	1,300
广州地铁2/8号线	8,506	北京首都国际机场T2	9,056
广州地铁-广佛线	6,612	北京首都国际机场T3	27,654
重庆地铁1号线	5,778	上海虹桥交通枢纽	29,550
重庆地铁3号线	4,474	上海浦东机场	25,000
重庆地铁6号线	1,835	武汉天河机场	6,952

* 标准冷吨是在入口湿球温度为78°F (25.6°C)时，将3GPM的水(0.684m³/h)从95°F (35°C)冷却到85°F (29.4°C)条件下定义的。

后记：城市轨道交通是公共交通体系中重要的组成部分，正日益成为大众出行的首选交通工具。BAC冷却塔设备可提供100%热力性能且静音运行，适合各种现场排布条件，营造“舒适地铁静生活”。

SPX®

斯必克(中国)投资有限公司
SPX (China) investment co., LTD

公司简介
Company Profile

斯必克公司（纽约证券交易所代码：SPW）是一家财富500强的跨行业工业生产领导者。公司总部位于美国北卡罗来纳州的夏洛特，年销售收入超过50亿美金，业务遍布全球超过35个国家并拥有近16,000名员工。公司提供高度专业化的技术、产品和工程解决方案，在基础建设、流程工艺与诊断系统三大核心领域，帮助客户解决关键问题。斯必克众多的创新解决方案，致力于服务电力、食品饮料及汽车服务行业，尤其以满足全球不断崛起的新兴市场的需求为战略重点。公司的产品系列包括为各类发电站提供热交换器；为公用事业单位提供变电机组；为食品饮料行业提供流体工艺设备；为车辆维护与修理提供诊断工具与设备。更多信息，请访问www.spx.com或www.spx.com.cn。

斯必克获深圳宝安机场订单，为新建航站楼提供冷却塔 NC系列冷却塔助力打造未来绿色建筑

（中国，广东深圳，2011年12月8日）斯必克公司（纽约证券交易所代码：SPW）今日宣布，旗下斯必克蒸发冷却技术获得深圳宝安机场的订单，为其新建的T3航站楼能源中心设备区提供20台马利品牌NC系列玻璃钢冷却塔。

深圳宝安机场是中国境内集海、陆、空联运为一体的现代化国际空港，而正在建造中的T3航站楼将成为未来深圳的标志性建筑之一，该建筑积极响应国家推进绿色公共建筑的号召，在设计上更为注重控制能耗与碳排放。而斯必克蒸发冷却技术为其提供的20台NC系列冷却塔，预计将于2012年年底与航站楼一同投入运行。

针对深圳宝安机场打造绿色建筑的目标，斯必克提供的新一代马利品牌NC系列冷却塔，成功缩小占地面积，并采用高效收水器等节水设计，实现保持生态平衡的建筑目标。此外，NC系列冷却塔的独特设计，确保以最低能耗提供最大冷却能力，以及在延长设备使用寿命、降低维护需求和运行成本方面的优异性能将为深圳机场能源中心创造更多绿色经济。

“2010年斯必克曾为深圳机场动力中心提供了两台NC系列冷却塔。基于去年的愉快合作，我相信斯必克高效节能冷却技术与服务将为深圳机场增添更多绿色价值。”斯必克蒸发冷却技术业务全球总裁罗伟杰（Gene Lowe）先生表示，“在今年中国政府发布的十二五规划中，多次提及推进建筑等众多领域的节能减排，开展绿色建筑行动。因此，我们希望通过斯必克专业领先的技术，以及本土化的产品与服务，为中国打造出更为绿色环保的公共设施，以此达到可持续经济发展的目标。”

斯必克长期以来一直致力于为中国公共基础建设提供完善及周到的服务，其蒸发冷却技术更是广泛应用于众多公共设施，商业建筑，工业及电力行业，并曾经参与包括北京奥运场馆、上海世博会、广州亚运会场馆在内的多个重要体育文化场馆以及上海、北京、广州等城市的地铁建设项目。

斯必克拥有世界领先的空冷和蒸发冷却技术，为全球提供领先的全系列、全方位服务的冷却塔和空气冷凝器，并提供冷却塔综合设计、研究开发、制造、老塔改造和售后服务等一些高度专业化冷却产品与服务。在电力，工业和暖通空调市场拥有超过250项全球专利。

工业成就生活之美

以全球领先技术，为电厂和民用市场提供高端热力设备和配件，斯必克热力设备与服务，平衡工业生产和生活需求，让工业成就生活之美。

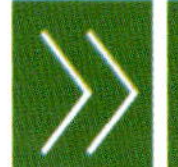

斯必克冷却技术简介

以开拓精神 放眼未来

斯必克冷却技术是世界上冷却塔产品最齐全的制造商和研究中心。为全球发电业、重工业、冷冻行业及暖通空调行业设计、制造和销售冷却设备。斯必克冷却技术历史上曾获得超过130项美国专利，至今在冷却塔设计和零部件领域仍拥有40项美国专利和无数国际专利，是冷却塔行业无可置辩的领先者。斯必克冷却技术在堪萨斯州的“研究发展中心”是目前全球投资最庞大，设备最先进的实验室，并提供给国际权威测试机构冷却塔协会“COOLINGTOWER INSTITUTE”（CTI）作为检测的基地。

成立于1922年美国堪萨斯城的斯必克冷却技术（前马利公司）现在已经是美国SPX集团重要的一员。SPX集团是一家年销售收入50亿美元，提供多元化全球服务的跨国集团公司。通过遍及全球网络上的150多个办事处、经销商、分销商、合资伙伴，斯必克冷却技术可迅速对客户的冷却需求做出响应。

斯必克冷却技术是世界上唯一的一家集冷却塔综合设计，研究开发，制造，土建施工，老塔改造和售后服务为一体的专业公司。已发展成为一个世界性的跨国公司，在北美洲，中南美洲，欧洲，中东，亚太地区，澳洲，新西兰等地设有生产工厂及销售机构，共有员工约1500人。

其冷却塔最大的特点是“整体系统优化”设计。通过不断地研究测试，对每一系列的冷却塔都能使其主要元件——淋水填料、布水系统和收水器三者充分配合以达成布水和空气流场的均匀性，而使冷却塔的运行性能达到和超出设计的性能。

斯必克（广州）冷却技术有限公司为SPX集团公司在中国的全资子公司，成立于1996年，现拥有约30000平方米厂房，年生产冷却塔超过60万水吨，用户面向全世界。目前在上海、北京、广州、西安、天津、长沙等城市设立了销售部和售后服务部，在全国各大城市发展了近50家具有雄厚实力及地区影响力的经销商。

斯必克（广州）根据中国的设计规范及气候特点，运用自己先进的设计软件、成熟技术和零部件，为中国民用和工业市场设计制造出数十个系列冷却塔产品，以其换热效率高、漂水少、噪声低、运行稳定等卓越性能赢得用户的一致认可和支持。

斯必克（广州）引进国际上先进的管理方法，建立了一套严格的质量管理体系，并于2001年通过了有法国BVQI质量认证有限公司严格进行的ISO9001:2000质量体系认证。同时连续多年被中国制冷学会推荐为“中国制冷空调设备信得过产品”。连续多年被中国质量检验协会评为“全国质量稳定合格产品”。

随着中国经济的飞速发展，斯必克（广州）在中国业务占其全球业务的比重也越来越大。为此斯必克（广州）于2003年将其亚太区总部迁到上海，卓显对中国市场的重视。我们将在此基础上再接再厉，不断服务，不断创新，不断发展，继续在广阔的华夏大地上向用户奉献出一座座冷却塔精品。

ADB公司简介

ADB是全球知名的机场地面照明系统市场领导者，自1947年进入助航灯光行业，65年以来一直致力于：不断进行产品/技术创新和提供面向客户的持久而优质的服务。

ADB公司全球业务拥有400名员工，总部设在比利时，全球共设有15个办事机构和分公司，在比利时总部、美国俄亥俄州和中国天津设有生产基地。随着营业额的不断增加，目前拥有每年1.6亿欧元的销售业绩。

截至2012年，ADB股份公司总共参与了全球2000多个机场的建设工作，产品覆盖190多个国家和地区，市场占有率达到本行业世界领先地位 。

ADB公司能力

•机场地面照明产品：

市场上能买到的产品范围较全面，从滑行道灯具到微处理器控制的恒流调节器(CCR)。

•机场控制区解决方案：

机场控制区各种系统的设计、工程和集成，提供一个客户化的助航灯光解决方案, 机场规模从小型机场到大型枢纽不等。

•客户服务：

及时地为客户提供帮助和咨询、培训、监督、测试、调试和维护等服务。

ADB公司优势

品牌优势

ADB公司1920年成立，1947年进入助航灯光行业以来，一直处于行业的领先位置。市场占有率长期处于领先地位。比如：

行业内第一个立式灯具
行业内第一个低凸起嵌入式灯具
行业内第一套真正意义上的A-SMGCS 系统
行业内第一个全世界有三条跑道应用全系列 LED 跑道灯具的厂家

主要生产公司：比利时、中国和美国
超过一亿五千万欧元营业额
超过400员工
超过100种产品和机场解决方案
一半以上新建机场会选择ADB
全球超过50%的机场使用ADB的产品（服务）
每年投入研发的费用超过3%(利润)
2011年获DUN&Bradstreet排名第一“最值得信赖和极低失败风险荣誉”

注：D&B 公司是国际知名风险评估企业。
网站：http://www.dnb.com

用实际行动创造碧水蓝天

深圳鹏程电动公司

深圳市鹏程电动汽车出租有限公司(以下简称鹏程电动公司)由深圳巴士集团股份有限公司和比亚迪汽车工业有限公司共同出资筹建,是全球首家规模化商业运营纯电动出租车的企业。公司现有电动车800台,是目前全球规模最大的纯电动出租车运营企业。

鹏程电动公司成立伊始就承担着新能源车辆应用示范营运的任务。两年多的示范运营,成功的市场化运作成绩得到了国家、省、市等各级领导的高度肯定,受到了海内外媒体的广泛关注,其影响已远远超出了出租车行业的范畴。

2010年5月25日,我司驾驶员罗保东在《对话》栏目中与美国国务卿希拉里进行“对话”,展示我国在新能源车辆推广应用和节能减排等方面取得的优异成绩;2011年,公司以零事故、零投诉的成绩出色完成了第26届世界大学生运动会、高交会等大型活动的定点交通保障任务,受到国内外来宾的广泛赞誉。

2012年,公司单车CO_2减排最高达到37.7吨,总计减排量达到6210吨,相当于3726棵树一年的CO_2吸收量,在为广大市民提供优质服务的同时,悄无声息中我们也为深圳创造了一片森林。

随着国家加大新能源产业发展的力度,鹏程电动公司将进一步解放思想、开拓创新,抢抓机遇、乘势而上,为新能源车辆应用示范营运作出新的更大的贡献,为创造碧水蓝天不懈努力!

惠普智能交通SOA企业级平台

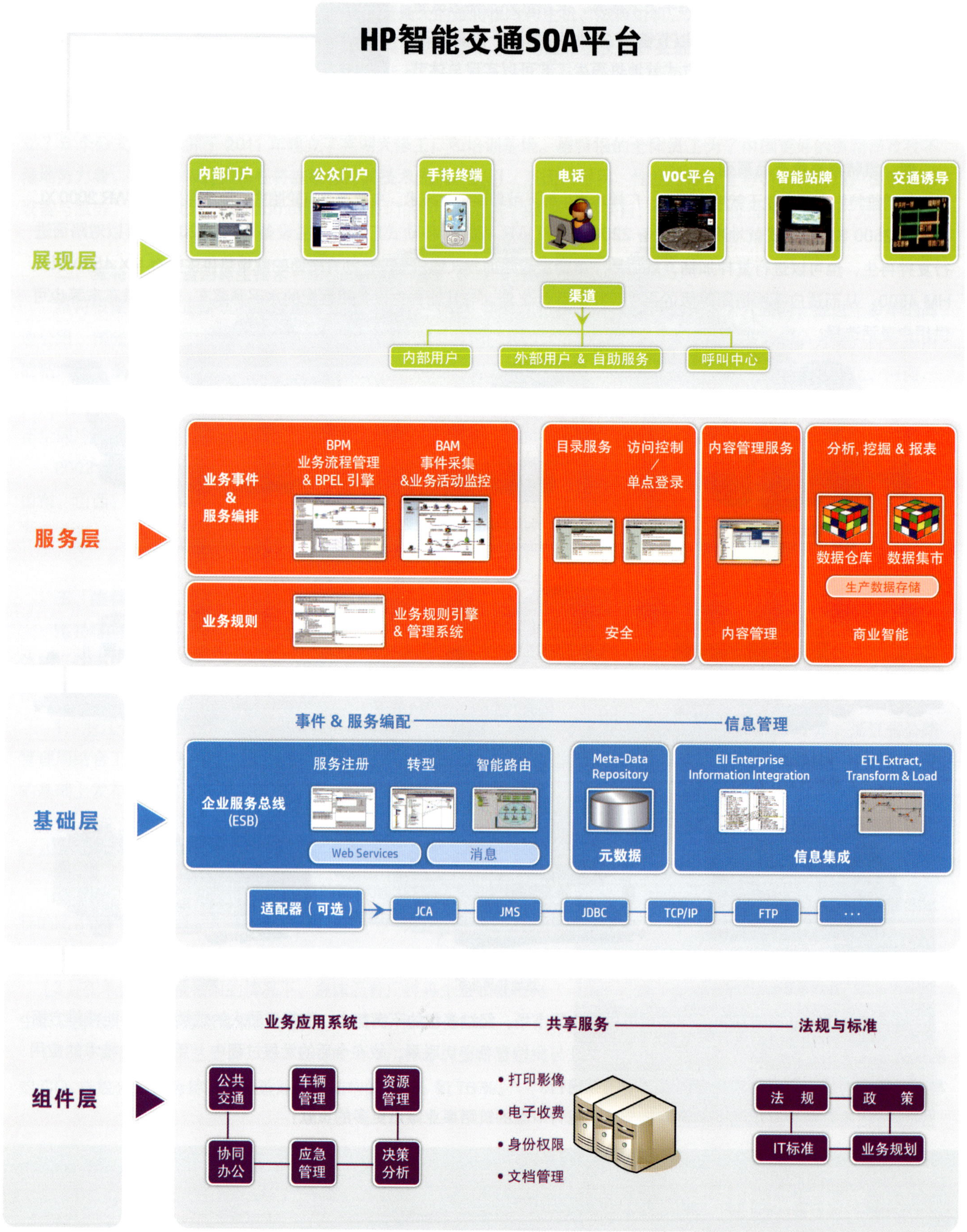

HP智能交通SOA平台

展现层

内部门户　公众门户　手持终端　电话　VOC平台　智能站牌　交通诱导

渠道

内部用户　外部用户 & 自助服务　呼叫中心

服务层

业务事件 & 服务编排

BPM 业务流程管理 & BPEL 引擎

BAM 事件采集 &业务活动监控

业务规则　业务规则引擎 & 管理系统

目录服务　访问控制 / 单点登录　安全

内容管理服务　内容管理

分析, 挖掘 & 报表　数据仓库　数据集市　生产数据存储　商业智能

基础层

事件 & 服务编配 —— 信息管理

企业服务总线 (ESB)　服务注册　转型　智能路由　Web Services　消息

Meta-Data Repository　元数据

EII Enterprise Information Integration　ETL Extract, Transform & Load　信息集成

适配器（可选）→ JCA — JMS — JDBC — TCP/IP — FTP — ...

组件层

业务应用系统 —— 共享服务 —— 法规与标准

公共交通　车辆管理　资源管理　协同办公　应急管理　决策分析

- 打印影像
- 电子收费
- 身份权限
- 文档管理

法规　政策　IT标准　业务规划

机场基本情况

泸州蓝田机场建成于抗战后期的1945年初，是我国较早的混凝土跑道的机场，为著名的“驼峰航线”使用的重要机场。1950年代后期～1960年代初期曾有民航运输业务，后停航。1966年空军第二飞行学院一团进驻，1968年机场产权移交空军。1988年地方政府筹资改造实行军民合用，1990年开通支线航空；1996年起机场扩建，于1998年12月使用B737等机型开通广州、北京等远程航线，2003年扩建工程完工。2005年起进行飞行区改扩建工程。机场等级为4C级，跑道2400m×45m，航站楼面积5460 m2。

近年来，得益于经济社会的快速发展，泸州机场业务发展迅猛，运输业务连续保持高于20%的速度增长，现稳定运营的航线有北京、上海、广州、深圳、昆明、贵阳六条航线，周出港航班40余个。2012年机场旅客吞吐量31.2万人次，2013年将新开稻城亚丁、长沙、厦门、西安等航线，上半年完成旅客吞吐量19万人次，同比增长23.7%，全年预计旅客吞吐量将达到40万人次以上，加快建设川滇黔渝结合部航空运输中心。

节能减排情况

近年来，泸州机场着力打造“设施先进、节能环保；网络完善、进出便捷；文化浓郁、环境优美、人港和谐”的美丽空港，在大力发展运输业务的同时，将节能减排列入机场重要工作之一，社会效益和经济效益显著提升。

加大硬件改造。机场重点在运行保障能耗高的设备管理上下功夫，在硬件上加大节能改造资金投入，用于水、电、气能耗高的设备改造，有效降低了能耗。

加强统计分析。落实专门部门和人员，研究制定能耗指标，采取精细化管理，对各项主要能耗设备，实行每月能耗统计和比对分析，强化能源消耗监督检查，杜绝能源浪费。

列入专项课题研究。机场在投入硬件的基础上，重点将开展降低中央空调等主要设备能耗列入QC课题研究，形成QC成果，分析中央空调设备运行状况不合理原因，寻求降低中央空调能耗对策，采取有效节能措施，减少设备不必要的运行时间，根据运行实际情况，如天气、每日时段等，调整机械运行参数，尽量使机械在高效低耗状态下运行，有效提高机械的有效功率。

武汉铸诚科技有限公司

企业简介 Enterprise Brief Introduction

武汉铸诚科技有限公司是一家集科研、生产、销售、服务于一体的高新技术企业。公司的技术和管理人员均为长期从事学术研究和技术开发的专业人员，分别由热工、电子、软件、机械等专业人员组成。公司核心成员从1994年开始从事柴油机缸内过程监测的研究，2010年，电子示功器的核心部件——超高温压力传感器通过了柴油机600小时的考核，性能稳定、可靠；经过近二十年的不断努力，在掌握内燃机示功图测量与分析核心技术的基础上，形成从气缸压力传感器、便携式电子示功器到在线式电子示功器完整的产品系列，并在柴油机缸内燃烧过程检测分析等领域积累了丰富的经验。产品广泛应用于内燃船舶动力装置、船舶修造企业、大型柴油发电机组、柴油机制造厂商等工业领域。

企业宗旨：诚信为本、技术为纲、服务为首、质量为重。

ZC系列柴油机电子示功器 Zc Series Diesel Engine Electronic Indicator

ZC系列柴油机电子示功器是利用电测原理和计算机技术，测量柴油机气缸内的压力、燃油喷射压力和曲轴转角，获得示功图和燃油喷射压力波(图1)，并采用燃烧分析等技术对示功图和燃油喷射压力波进行分析(图2)与故障诊断(图3)的仪器设备。

ZC系列柴油机电子示功器分为便携式(ZCP-1和ZCP-1A)(图4)与在线式(ZCO-1和ZCO-1A)(图5)两类，其中ZCP-1A和ZCO-1A具有燃油喷射压力测量与分析功能，ZC系列柴油机电子示功器型谱和配置见表1，技术性能指标见表2，使用环境要求见表3。

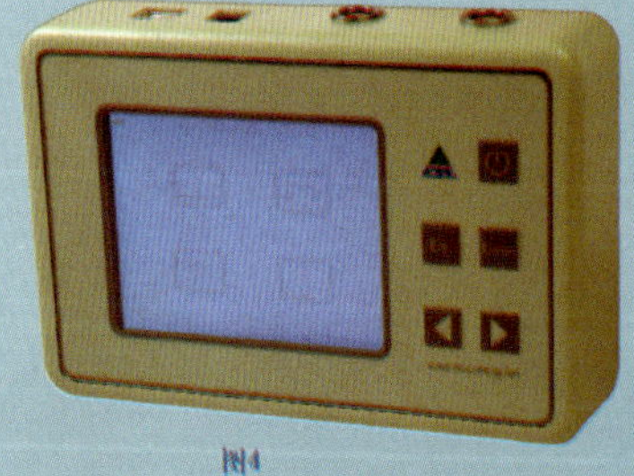

图4

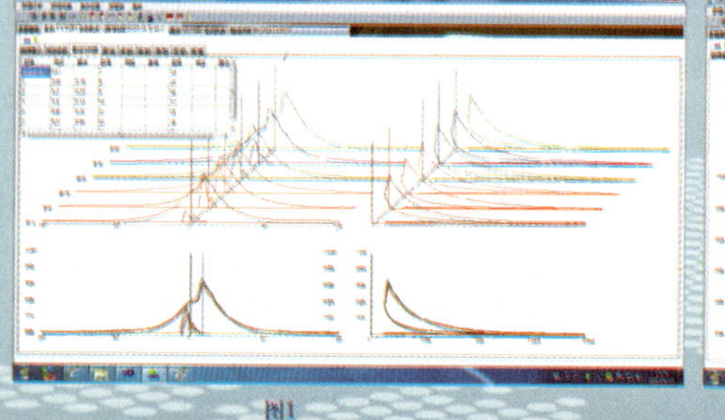

图1

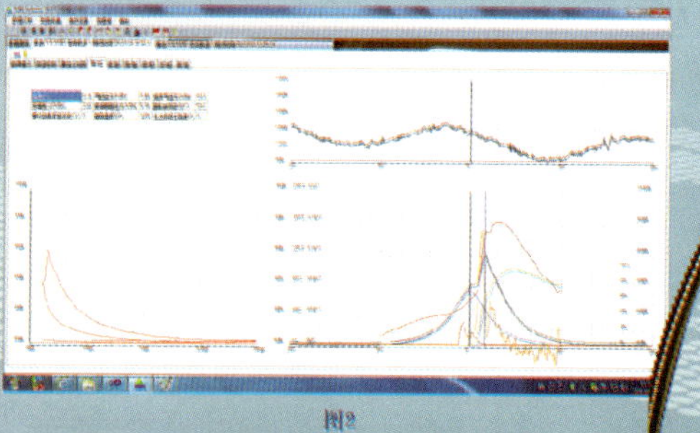

图2

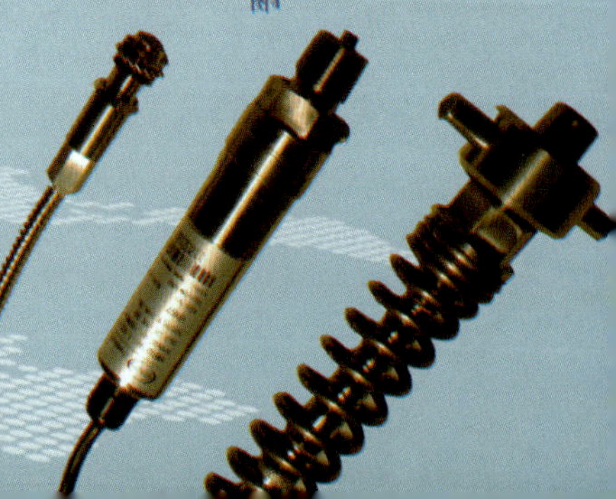

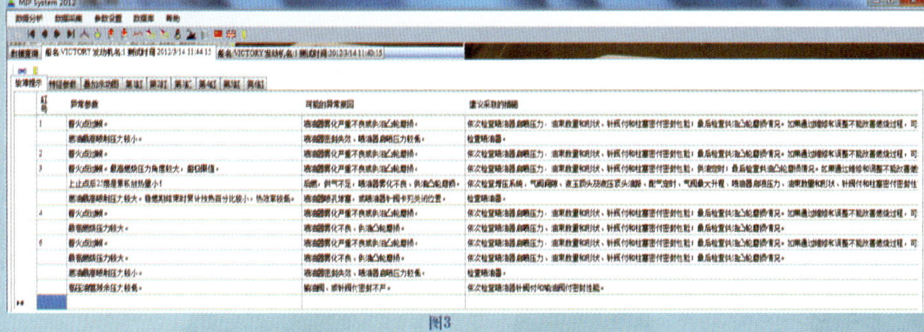

图3

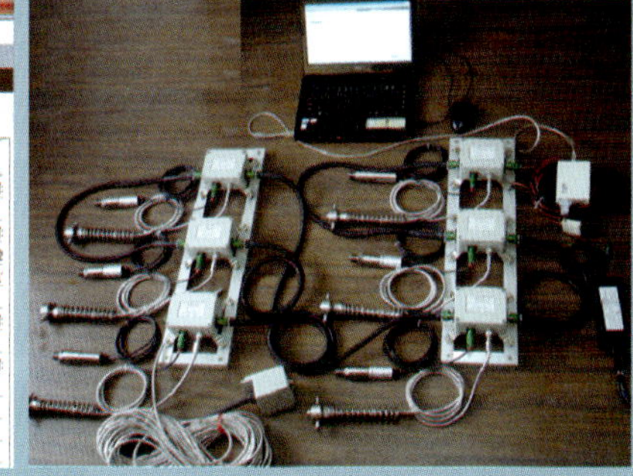

图5

ZC系列电子示功器　　表1

型 号	ZCP-1型	ZCP-1A型	ZCO-1型	ZCO-1A型
便携式主机（ZCP-1）	☆	☆		
示功图采集模块(ZCO-1(A))			☆	☆
气缸压力传感器（ZCY-25）	☆	☆	☆	☆
喷射压力传感器（HM90）		☆		☆
高压针阀、三通（按机型定制）				☆
曲轴转角传感器（ZCA）	☆	☆	☆	☆
MIP System 2012 软件	☆	☆	☆	☆
充电器	☆	☆		
电源			☆	☆
便携式密封箱	☆	☆		
说明书	☆	☆	☆	☆

ZC×型电子示功器技术性能　　表 2

名 称	量 程	分辨率	精 度
气缸压力	0～25　MPa	0.1bar	1.0 %
喷射压力	0～200　MPa	1bar	1.0 %
转　速	0～2000　r/min	1 r/min	±1 r/min
有效功率	0～100000 kw	1kW	
曲轴转角	0～360°		

ZC×型电子示功器使用环境要求　　表 3

	仪 器	气缸压力传感器	燃油喷射压力传感器	曲轴转角传感器
型号	ZCP-1、ZCO-1（A）	ZCY-25	HM90	ZCA-1和ZCA-2
温度	-10～55℃	-10～450℃	-10～150℃	-10～55℃
湿度	<80%	<80%	<80%	<80%

ZC系列柴油机电子示功器获得的发动机信息有：整机指示功率和有效功率，各个气缸的纯压缩过程、瞬时放热率、累计放热率百分比、燃烧温度和燃油喷射压力曲线，各个气缸的循环功、压力升高率、着火点位置、最高压缩压力、最高爆炸压力、最高爆炸压力位置、最高燃烧温度、最高燃烧温度位置、预混燃烧放热量、扩散燃烧放热量和后燃放热量、上止点后30度的累积放热百分比、供油定时、最高喷射压力、供油持续角和高压油管残余压力等特征值（图6）。

ZC系列柴油机电子示功器可诊断柴油机各缸负荷不平衡、气缸漏气、供油定时错误、燃油雾化不良、供油装置漏油等故障，并提示用户对相关零部件进行检查（图3）。

ZC系列柴油机电子示功器可显示各个特征参数的历史曲线（图7），实现同一型柴油机不同时期所测示功图和燃油喷射压力波的图形对比（图8）。

ZC系列柴油机电子示功器具有船舶信息、发动机信息等的管理、历史信息查询、报表和图形打印、数据的导出和导入等功能。

ZCO-1型柴油机电子示功器实船安装实例如图9所示。

图6

图9

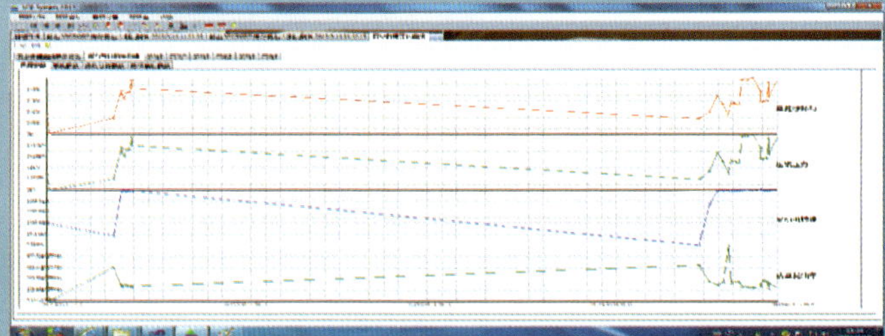

图7

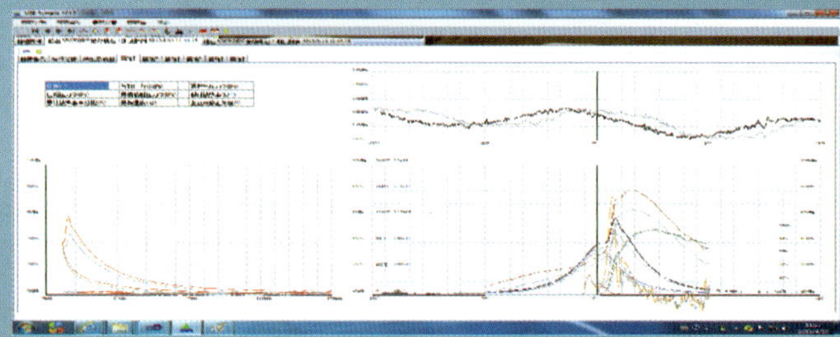

图8

顺丰速运

与您一起发展

一、顺丰简介及服务优势

顺丰速运（集团）有限公司（以下简称顺丰）于1993年成立，总部设在深圳，是一家主要经营国内、国际快递及相关业务的服务性企业。

自成立以来，顺丰始终专注于服务质量的提升，不断满足市场的需求，在大中华地区（包括港、澳、台地区）建立了庞大的信息采集、市场开发、物流配送、快件收派等业务机构，建立服务客户的全国性网络，同时，也积极拓展国际件服务，目前已开通新加坡、韩国、马来西亚、日本及美国业务。

长期以来，顺丰不断投入资金加强公司的基础建设，积极研发和引进具有高科技含量的信息技术与设备，不断提升作业自动化水平，实现了对快件流转全过程、全环节的信息监控、跟踪、查询及资源调度工作，促进了快递网络的不断优化，确保了服务质量的稳步提升，奠定了业内客户服务满意度的领先地位。

顺丰拥有庞大的服务网络，而且自有服务网络具有服务标准统一、服务质量稳定、安全性能高等显著优点，能最大程度地保障客户利益。顺丰自1993年成立以来，每年都投入巨资完善由公司统一管理的自有服务网络：从蜗隅中山，到立足珠三角，到布局长三角；从华南先后扩展至华东、华中、华北；从中国大陆延展到中国香港地区、中国台湾地区，直至海外。

二、顺丰在节能减排方面的成就

近年来，随着我国电子商务行业的飞速发展，快递产业规模日益壮大，同时，全球气候变化和环境保护也逐渐成为焦点问题。为负起保护环境的社会责任，顺丰一直在行动，除了顺丰基金会开展的一系列环保公益项目以外，在顺丰公司的日常运营过程中，也针对节能减排，开展了一系列的工作。顺丰依循ISO14064的标准程序，进行温室气体排放盘查，制定了一系列适用于企业内部温室气体排放的标准和措施，并结合多个模块在节能减排方面进行综合管控，在一定程度上实现了经济效益和社会效益的双重提升。

1. 顺丰物资采购：前沿管控，集约资源

采购环节是节能减排的首要环节，通过整合资源，优化配置，企业可以提高资源利用率，减少资源浪费，针对环保工作，效果事半功倍。

针对包装材料，顺丰要求供应商不断改良文件封、纸箱设计，添加回收标示，采用再生纸、再生塑料等环保物料。此外，从节约能源的角度出发，顺丰公司在2008年就开始集中宣传“从我做起，节约能源”的口号，办公场所全部换上了节能灯。而顺丰办公系统中的所有资产在选型阶段都已经考虑到了节能减排的因素，特别是IT电器设备，顺丰在采购时要求供应商必须遵循国际上的强制性认证，进行统一招标选购。

2. 顺丰工程节能：夯实基础建设，利用新型能源

顺丰在进行工程建设的过程中，也充分考虑到了节能减排的重要性，积极把新能源新技术运用其中，尤以太阳能的运用最为系统全面。太阳能有着储量的“无限性”、存在的普遍性、利用的清洁性和经济性等诸多优点，在顺丰现在的工程建设中运用比较广泛。其中以顺丰中山区和东莞区的运用最为成熟。

顺丰中山区部2004年4月投入使用太阳能热水器系统及电辅助加热系统（雨天时利用电加热热水，加热系统热效率约为95%）。顺丰东莞区部2008年初投入使用太阳能热水器及空气源热泵系统（雨天时利用空调原理加热热水，即使用空气所包含的能量加热热水，加热系统热效率约为300%）。每年节约电费多达万元。

3、顺丰资产管理：优化淘汰机制，力争变废为宝

对于掌控着公司物资处理大权的资产管理处来说，节能减排更是一种责任和义务。顺丰所有的办公和运作物料，最后在报废退出时，都必须要强制认证，符合国家的环保指标。而具体的处理方式则有以下几个途径：

淘汰或者准备报废的电子产品通常不是盲目地变卖掉，而是先将其拆卸，可以利用的配件，就进行循环使用；而不可利用部分，则是通过专业的机构进行回收。例如顺丰终端报废的大量锂电池，顺丰公司规定是不能随便丢弃的，由顺丰各个地区指定的回收点进行回收，然后定期交付给总部，最后由总部交给专业的回收机构来进行回收处理。顺丰对于还有利用价值的 IT 产品，像办公用的笔记本电脑，一般会将它捐赠给贫困地区使用，不会随便作为废品处理掉。顺丰具体操作方式是转让给符合一定条件的员工，充分完成其后续的使用价值。采取这种做法的还包括量大的台式电脑。通过这样一种方式能尽量减少电子产品对环境的污染。

针对编织袋，顺丰现在推行重复使用的原则，目前每个片区都在做试点。而顺丰在没办法回收的包装纸箱方面，鼓励客户再用来包装东西。至于废旧衣物（工服）则集中回收，顺丰交给火力发电厂进行焚烧发电。目前新版胶袋上面还都做出了可回收利用的标识。

顺丰废旧物料处理的原则就是：利益最大化、安全环保和防止外流。

顺丰速运

与您一起发展

4、顺丰运输环节：提高运输效率，减少废气排放

运输过程中的燃油消耗和尾气排放，是物流活动造成环境污染的主要原因之一。因此，要想打造绿色物流，首先要对运输线路进行合理布局与规划，通过缩短运输路线，提高车辆装载率等措施，实现节能减排的目标。另外，还要注重对运输车辆的养护，使用清洁燃料，减少能耗及尾气排放。

顺丰在这方面的做法是，首先确保顺丰车辆性能良好，维护检修有非常明确的要求，主要是以保代修，既以保养为主，确保车辆的性能；第二是检测，顺丰根据政府规定，定期去相关部门做检测，确保车辆的性能和安全都符合标准；第三就是在管理上不断严格要求，顺丰将标准定得比较高。

在新能源汽车的开发利用方面，现在市面上主流的混合动力车是油电混合动力车型，汽油发动机和电池联合工作，为一辆车源源不断地提供续航动力。顺丰已在香港开展新能源车的试点工作。

综上所述，顺丰将不断致力于抑制快递活动对环境的污染，减少资源消耗，同时利用先进的技术手段，对运输、装卸搬运、包装、派送等作业流程进行规划与监督，实现“环保在顺丰，绿色快递靠你我共同实现”的目标。

欧领特（上海）钢板桩租赁有限公司

欧领特钢板桩带来世界级专业技能与解决方案
——提供基础工程一站式服务！

欧领特公司（OSP）是全球第一大钢铁企业安赛乐米塔尔集团（ArcelorMittal）的子公司，为亚洲地区提供一站式基础工程解决方案。欧领特的业务范围涵盖各类建筑与基础设施需求，涉及滨水与海洋结构、桥梁、电站、地下建筑、地下停车场、顺岸结构与河岸的水处理厂以及其他应用领域。

欧领特公司是钢板桩综合服务的优质供应商，通过大量库存提供各种规格的钢板桩，为承包商提供卓越的一站式解决方案，包括临时租赁方案和永久性销售，以及为各种建筑与基础设施项目提供技术支持。欧领特的一站式方案中心位于上海、广州、天津、武汉、北京和香港。亚太地区还设有分公司，包括新加坡、马来西亚、印度尼西亚、越南、泰国及菲律宾。

欧领特始终秉承“客户的成功，就是我们的成功”的核心理念，公司将一如既往地把基础工程、能源和钢结构方面的全球经验，服务于中国的项目和承包商，为中国的客户提供最好的解决方案和最专业的服务。

欧领特钢板桩的产品系列包括冷弯钢板桩和热轧钢板桩（U型、Z型、直腹型和组合型）。除了各类钢板桩，欧领特公司的产品范围还包括拉杆、连接件及钢管桩等，几乎涵盖所有的工程现场需求及各类建筑与基础设施需要。公司可独家项目销售和租赁卢森堡热轧钢板桩，亦可现货供应和租赁日本拉森钢板桩。公司位于上海宝山的冷弯钢板桩生产基地已经建成投产，可根据客户需求，量身定做各种型号冷弯钢板桩、钢管桩、支撑等钢产品，以及提供拉杆和防腐等配套服务。

钢板桩租赁

Z型桩：OZ系列
宽度：650~685 mm
截面模量：1 370~3 980 cm³/m

U型桩：OT系列
宽度：600~610 mm
截面模量：1 160~2 590 cm³/m

直腹式钢板桩：AS500系列
厚度：9.5~12.7 mm
锁扣强度：3 000~5 500 kN/m

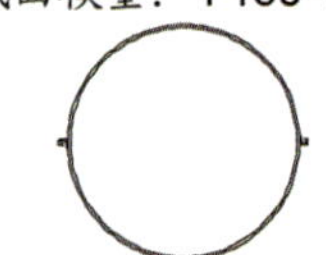

钢管桩/钢管桩结合墙
直径：711~3 000 mm
截面模量：3 806~172 346 cm³

广州港南沙三期北侧驳船码头AZ36-700N&AZ42-700N

哈尔滨先锋路立交工程 OT22 长度21m

欧领特（上海）钢板桩租赁有限公司
上海浦东新区松林路357号通茂大厦2410室　邮编：200122
电话：+86-21-31268700　传真：+86-21-68405305

欧领特（上海）钢板桩租赁有限公司广州分公司
广东省广州市海珠区福场路5号富力金禧商务中心2408室　邮编：510630
电话：+86-20-34465295　传真：+86-20-34465296

欧领特（上海）钢板桩租赁有限公司天津分公司
天津市河西区大沽南路501号恒华大厦2号楼807室　邮编：300202
电话：+86-22-58313178　传真：+86-22-58313179

欧领特（上海）钢板桩租赁有限公司武汉分公司
湖北省武汉市三阳路130号三阳广场B座2407室　邮编：430013
电话：+86-27-82316080　传真：+86-22-82317002

欧领特钢板桩（中国）有限公司
香港湾仔皇后大道东183号合和中心30/F.，3002-3003室
电话：+852-25267933　传真：+852-25217905

阿赛洛国际贸易（上海）有限公司
上海浦东新区松林路357号通茂大厦2410室　邮编：200122
电话：+86-21-31268700　传真：+86-21-68405305

www.orientalsheetpiling.com.cn

广州港南沙三期北侧驳船码头AZ36-700N&AZ42-700N

海南洋浦海事局码头工程OZ 31A 长度16~17.5m

哈尔滨文政街永久结构项目工程 OT22 长度16m

海南洋浦海事局码头工程OZ 31A 长度16~17.5m

广深港高速铁路（香港）MTR823A
大江埔至谢屋村隧道项目 PU18长度11.8m

广州新中国船厂小虎岛造船基地1号码头AZ18

沈阳浑河汽博桥项目OT22长度9m

唐山港集团

一、港口现状及运营情况

根据《唐山港总体规划》，京唐港区规划面积 88 平方公里，规划建设 6 个港池，逐步形成集装箱码头作业区、液体散货作业区、干散货作业区、杂货码头作业区、通用散杂货码头作业区、综合物流区等 6 个功能区及远景预留发展区。规划自然岸线长度 19 公里，规划岸线总长 45 公里，可建设各类泊位近 150 个。

京唐港区地理位置显要，自然条件优越，建港谋划由来已久，是民主革命先驱孙中山先生在《建国方略》中拟建的“与纽约等大”、“为世界贸易之通路”的“北方大港”港址。自 1989 年 8 月开工建设，是唐山市最早开发建设的国家一类对外开放口岸。目前，京唐港区已建成一、二港池全部及三、四、五港池部分泊位，有件杂、散杂、多用途、集装箱、矿石专用、煤炭专用、水泥专用、纯碱专用、液化石油气专用、液化品专用及通用散货等功能较为齐全的 1.5 ~ 20 万吨级泊位 33 座，年设计通过能力 10868 万吨 / 集装箱 20 万 TEU；航道等级达到 20 万吨级；建成各类货物堆场 700 多万平米。以港口为原点，已形成了港口、铁路、公路、高速公路为主十分便捷的综合交通运输体系，除对接直接腹地唐山外，服务范围已覆盖华北、西北广大地区，水路通达 50 多个国家(地区)、120 多个港口，形成了面向世界五大洲的便捷运输网络。

京唐港区是河北目前货种最多、综合性发展特征最显著的港口，主要货种有煤炭、矿石、钢铁、集装箱、原盐、水泥、粮食、机械设备、汽车、木材、液化产品等。自 1992 年国内通航、1993 年国际通航以来，港口运营生产一年一大步，两年一跨越，三年一个新局面，特别是“十一五”期间，货物吞吐量呈高速递增态势，自 2009 年运量实现亿吨突破，京唐港区连年运量亿吨以上，2011 年完成 1.37 亿吨，在全国沿海港口排名第 14 位，其中主要货种，煤炭运量完成 7899 万吨，同比增长 18 %，进口焦煤量位居全国港口第一；矿石运量完成 3261 万吨，同比增长 11 %，位居全国港口第九；钢材发运量完成 1457 万吨，与上年基本持平，位居全国港口第三位；集装箱完成 26.5 万标箱，同比增长 2%。公司吞吐量近三年平均增长率达到 14.24%。2011 年公司合并报表完成营业收入 30 亿元，同比增长 17%；实现利润总额 6.54 亿元，同比增长 31%；实现净利润 4.61 亿元，同比增长 34%，连续四年利润增幅超 30%。今年 1–7 月份，在市场形势严峻的情况下，全港区完成货物吞吐量 9255 万吨，同比增长 17.4%，其中，矿石运量完成 2989 万吨，同比增长 65.5%；煤炭运量完成 4726 万吨、钢材运量完成 916 万吨、集装箱运量完成 15.7 万标箱，在经济下行压力加大形势下，保持了与去年同期基本持平。公司上半年实现收入 21 亿元，同比增长 50%；实现利润总额 4.9 亿元，同比增长 32%。.

目前，唐山港集团总资产 135 亿元，净资产 75 亿元。员工总数 2700 人，平均年龄 32 岁，其中，大专以上学历人员占职工总数的 68%，职工总数只相当于我国同等规模港口用工人数的五分之一。公司先后荣获全国“五一劳动奖状”、全国“模范职工之家”、全国“青年文明号”、全国“最具成长性企业”、全国“交通百强企业”、全国“电煤运输先进单位”、全国模范劳动关系和谐企业、中国诚信企业、河北省先进集体、振兴唐山先进单位等多项殊荣。

二、唐山港京唐港区发展特色优势

多年来，唐山港集团认真践行“发展港口、成就员工、奉献社会、回报股东”的企业宗旨，在实践中创新，在跨越中赶超，融入和服务区域经济发展大局，走出了一条创新发展、滚动发展、借力发展的特色道路，开创了河北港口发展的新境界、新潮流。

（一）优化港口机制体制，多元扩张。2003年，京唐港务局完成现代企业改制，成为河北首家股份制港口企业，并通过跨国界、跨省市、跨行业、跨所有制合资合作以及多元融资等方式，与西班牙德加德斯、华能、国投、中煤、同煤、首钢、中远等50多家投资、物流、能源、原材料、冶金企业合作开展港口建设和经营，大大加快了港口规模扩展和等级提高。“十一五”时期，投入建港资金81亿元，新建码头13座，新增设计通过能力4340万吨。

（二）发挥市场调控作用，轻装前进。在全国沿海港口企业中率先引入“服务外包”经营模式，在港口生产组织链条中大力实施社会化，吸引外部资金达5亿元，购置各类生产流机设备千余台（套），极大地释放了港口潜能。目前，公司劳动生产率居全国沿海港口第2位，每货物吞吐吨创造直接价值居全国第6位。

（三）依靠核心科技，加快港口建设。创下粉沙质海岸建港、挖入式港池设计、地连墙码头结构等多项“全国第一”。三项技术成果获得国家专利，两个项目获得全国科技奖。采用挖入式港池、地连墙码头结构形式，施工速度快，工程造价低，大大节约了港口建设成本，同时，通过吹填造地，形成陆域建设用地，为港口建设和临港产业发展提供了广阔空间。

（四）构建海陆运输网络，做大现代港口物流。牢固树立现代物流理念，积极对接腹地产业和临港经济布局，以港口为辐射源，在内陆地区广建“无水港”、物流场站，在远程腹地设立业务分支，并通过班轮、班列建设和综合物流平台建设，搭建起内括华北三省市、兼顾西北六省区、外连沿海各省份、远达世界五大洲的陆海联动运输体系，初步形成

三、今后一段时期发展基本思路和目标

新的历史形势下，我们将以科学发展为统揽，抢抓《河北沿海地区发展规划》上升为国家战略、省市政府加快沿海开发建设的新机遇，围绕服务腹地经济发展，围绕港口功能调整主线，调整结构，转变方式，完善设施，提升能力，完善物流服务，搞好资本运营，发展产业链经济，加快推进京唐港区专业化、深水化、集装箱化、园区化、生态化战略转型升级，建设物流港口、数字港口、金融港口、低碳港口，加快综合型国际化大港建设步伐，努力发挥好京唐港区的龙头带动作用，为腹地经济社会发展做出更大贡献。

“十二五”时期，计划完成建港投资123亿元，新建生产泊位14个，新增港口通过能力7580万吨/集装箱90万TEU。到“十二五”末，把公司建设成为年收入规模50亿元以上的大型港口企业集团，与“十一五”末相比，实现货物吞吐量和利润“双翻番”的总目标，货物吞吐量达到2亿吨/集装箱70万TEU，利润总额实现15亿元。

鞍山森远引领我国公路走向绿色养护新时代

鞍山森远简介

鞍山森远路桥股份有限公司（股票代码 300210）是集公路养护设备开发、研制、生产和销售于一体的高新技术企业，是国家 863 计划项目、国家火炬计划项目承担单位，是全国建筑施工机械与设备标准化技术委员会道路养护设备工作组组长单位，拥有省级技术中心和辽宁省博士后科研基地，致力于公路绿色养护新技术、新工艺的探索研究，开发了以沥青路面就地热再生重铺机组、沥青路面热再生修补车、泡沫沥青就地冷再生机、沥青路面超薄磨耗层罩面机、沥青旧料厂拌再生设备等现代化养护设备为主导的 13 个系列 40 多个品种，拥有发明专利 8 项，国家重点新产品 2 项，部分产品填补国内空白，森远牌商标为中国驰名商标。2012 年公司成功收购吉林省公路机械有限公司，成为新型公路养护机械行业的领先企业，是国内领先的能够提供全系列沥青路面就地再生技术解决方案并具有工程施工技术支撑经验的设备制造商。

鞍山森远就地热再生技术简介

鞍山森远研制成功的沥青路面就地热再生重铺机组是国家 863 计划项目，是目前国际上最先进的沥青路面就地热再生施工设备，填补了我国沥青路面就地热再生施工设备制造的空白，2010 年被认定为辽宁省节能产品。

沥青路面就地热再生重铺机组由 2 台路面加热机、1 台加热铣刨机、1 台加热复拌机以及自卸车、摊铺机和压路机构成，用于沥青路面大面积连续翻修作业，具有就地加热、铣刨、再生剂和热沥青添加、复拌、摊铺、整平等功能，彻底实现了沥青路面大面积连续翻修作业的机械化、自动化，施工中可一次成型新路面。

沥青路面就地热再生施工特别适合于路基完好、面层损坏的高等级公路的大面积连续翻修作业。

沥青路面就地热再生施工可重复利用原有沥青路面材料，具有节约资源、高效、快速、安全、环保等优点。

森远沥青路面就地热再生重铺机组项目研究荣获八个奖项

1、2007 年鞍山市科学技术创新一等奖。
2、2007 年辽宁省科学技术二等奖。
3、2007 年东北亚高新技术博览会金奖。
4、2008 年辽宁省科技成果转化二等奖。
5、2008 年第七届中国国际装备制造业博览会金奖。
6、2009 年中国创新设计红星奖。
7、2010 年辽宁省优秀新产品一等奖
8、2012 年公路建养杯创新产品奖。

用森远时代再生列车施工的优越性

沥青路面就地热再生重铺机组采用单机组合的方式形成沥青路面再生列车具有如下基本特点

——与传统维修方法相比，可节省 35% 的成本和 50% 的施工周期；
——正常工作条件下可实现无污染作业；
——沥青不会烧焦和氧化；
——不会破碎旧路面骨料；
——工作速度 4~8 m/min，再生深度 50mm，每日可再生 2~3 车道公里路面；
——具有高速强制性热空气循环加热系统；
——与传统红外加热系统相比，燃油消耗可节省 40%～50%；
——后置加热、烘干、拌和工艺保证了旧料与添加材料的充分加热和水分的消除，从而提高了再生混合料的质量；
——可添加新沥青混合料、再生剂、热沥青或新骨料来提高原有路面质量；
——用柴油代替丙烷气，经济、安全、方便；
——通过边沿和底层的加热，实现优良的热接缝和边界粘结；
——产品与牵引车悬挂组成汽车列车，运输方便、快速。

森远时代再生列车就地热再生施工实例

2006 年 10 月鞍山森远与河南高速实业公司联合，在连霍高速河南商丘段进行了 12 万平方米的沥青路面就地热再生施工，开启了采用国产设备进行沥青路面就地热再生施工的先河。目前，已有河南、浙江、宁夏（购 2 套）、辽宁（购 4 套）、江苏、湖南、贵州、吉林等省分别购买了森远再生机组并施工。另外，采用租用森远机组进行热再生施工的有北京、重庆、青海、天津、湖北等省市。

截至 2008 年底，河南高速实业公司使用森远再生机组完成沥青路面就地热再生施工 52 万平方米，共节省使用重交沥青 1260 吨，节省资金 617 万元；节省使用改性沥青 1080 吨，节省资金 669 万元；节省使用石料 49660 吨，节省资金 347 万元；节省有害废料长期堆放掩埋占有场地 15000 平方米，节省费用 20 万元 / 每年。

2009 年 6 月，为不影响交通，北京八达岭高速北安河段就地热再生施工选在夜间进行。

2008 年 6 月，京藏高速宁夏石嘴山至姚伏段进行沥青路面就地热再生施工技术，这是森远热再生技术首次在我国西北使用。2008 年 5 月宁夏交通科研所购入森远机组，截至 2008 年底进行沥青路面就地热再生施工 130 公里，缩短施工周期 50%，路面维修成本下降 40%。每分钟再生沥青路面 4~6 米，与传统路面大修相比，每平方米节省成本 40 元，1 公里就可节省 10 多万元。

森远机组在宁夏京藏高速石嘴山段进行热再生施工

2007 年 11 月，浙江省海宁公路段在浙江 01 省道丁桥段进行了沥青路面就地热再生施工，每天可再生 7200~12000 平方米的沥青路面，节省 30% 燃油消耗。

森远机组在浙江 01 省道丁桥段进行就地热再生施工

空中客车中国公司 总裁 陈菊明

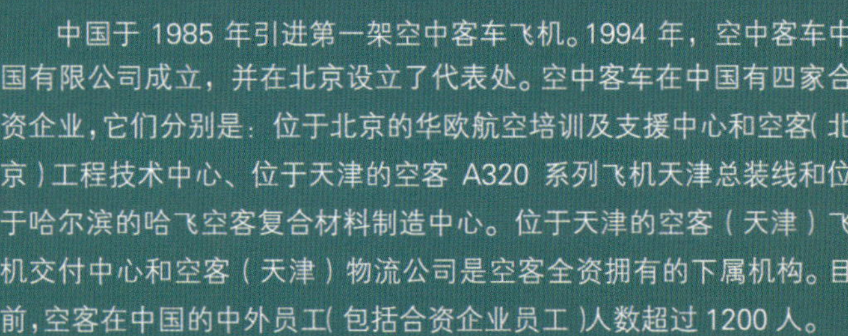

关于空中客车中国公司

中国于 1985 年引进第一架空中客车飞机。1994 年，空中客车中国有限公司成立，并在北京设立了代表处。空中客车在中国有四家合资企业，它们分别是：位于北京的华欧航空培训及支援中心和空客（北京）工程技术中心、位于天津的空客 A320 系列飞机天津总装线和位于哈尔滨的哈飞空客复合材料制造中心。位于天津的空客（天津）飞机交付中心和空客（天津）物流公司是空客全资拥有的下属机构。目前，空客在中国的中外员工（包括合资企业员工）人数超过 1200 人。

20 多年来，空中客车公司向中国客户提供了先进的空中客车系列产品。空中客车在中国还建立了全面而集中的售后服务机制。空中客车公司致力于同中国航空业建立长期的战略伙伴关系，与中国民航、航空公司和中国航空工业企业开展了卓有成效的合作。

空客交付中国飞机数量连续三年超过 100 架，空客飞机受到中国各类客户 / 用户广泛欢迎

2012 年，空中客车公司从法国图卢兹、德国汉堡和中国天津向中国用户总共交付 125 架新飞机，占空中客车公司当年全球总交付量（588 架）的 20% 以上。这是连续第三年空客向中国交付飞机数量超过 100 架（2010 年 111 架，2011 年 114 架）。

截至 2013 年 5 月底，共有将近 920 架空中客车飞机在中国大陆运营，占中国大陆 100 座级以上现役飞机总数的 49% 以上，其中包括 760 多架单通道的 A320 系列飞机、120 多架 双通道的 A330/A340 系列飞机和 5 架全双层的 A380 飞机，其他还有 A300 飞机和空客公务机。

空中客车公司加强与中国工业合作

空中客车公司致力于同中国航空工业建立全面的战略伙伴关系。空中客车与中国航空业的工业合作始于1985年。空客在向中国交付第一架空客飞机之后，就与中国航空制造工业开始了零部件转包生产合作。1985 年，法宇航（即现在的空中客车法国公司）与西飞签署了转包生产协议。根据协议，西飞生产和组装空中客车 A300/A310 宽体飞机电子舱舱门。

近年来，空客与中国的工业合作范围不断扩大，层次不断深入，且合作总值不断提高。空中客车公司与中国的工业合作总值于 2008 年突破 1 亿美元，2010 年超过 2 亿美元，2011 年达到 2.6 亿美元。2012 年，空客与中国的工业合作总值达到了 2.95 亿美元。到 2015 年，空客与中国的工业合作总值将达到每年将近 5 亿美元的水平。

空客与中国的工业合作涵盖了从原材料采购到零部件设计与制造，大部件总装，直至飞机总装的多个领域。目前，共有 6 家中国航空工业企业直接参与空客飞机零部件的制造。所有空客民用飞机机型都安装有中国制造的零部件。

空客天津总装线完成总装超过 130 架 A320 系列飞机

空客天津总装线于 2008 年正式投产，截至 2013 年 6 月底，空客天津总装线已总共完成总装超过 130 架飞机。目前，有十几家中外航空公司运营着天津总装的空客 A320 系列飞机。用户对空客天津总装线总装的 A320 系列飞机性能给予高度评价，称其与欧洲总装的空客 A320 系列飞机标准完全相同。

空客天津总装线是空中客车公司与由天津保税区和中国航空工业集团公司组成的中方联合体共同建设的合资企业。空客天津总装线是继法国图卢兹和德国汉堡之后全球第三条空客 A320 系列飞机总装线。空客天津总装线项目被誉为中欧合作的典范。

空中客车与清华大学、中国石化等单位开展环保型航空替代燃料合作，推动航空替代燃料在中国的规模化生产和商业化进程

空中客车致力于同中国相关机构和企业合作，共同建设绿色航空业。2012 年 8 月，空中客车与清华大学签署协议，合作开展环保型航空替代燃料研究，包括替代燃料原料的选定、产业链的建立以及商业化模式的推广等。

2012 年 9 月，空中客车公司宣布与中国石油化工股份有限公司开展跨行业合作，共同推动环保型航空燃料（即航空生物燃料）在中国的生产和应用。

空中客车致力于同中国伙伴合作，在中国建立完整的环保型航空生物燃料的生产体系，此次与清华大学和中国石化的合作是其中的一步。空中客车计划在全球各大洲都建立环保型航空替代燃料的产业链。目前，空中客车已经在拉丁美洲、澳大利亚、欧洲和中东地区建立了环保型航空替代燃料的产业链，随着中国的参与，亚洲也将加入此行列。

在新的一年里，空客还将继续深化与中国的全方位合作，为中国航空业发展做出贡献。

关于空中客车公司

空中客车公司是业界领先的飞机制造商，为全球 100 座级以上市场提供最现代化最高效的客机系列。空中客车公司由欧洲宇航防务集团(EADS)拥有。

经过 40 多年的创新发展，空中客车公司以客户为中心的理念、商业知识、技术领先地位和制造效率使其跻身行业前沿。目前，空中客车公司已牢固地掌握了全球约一半的民用飞机订单。2012 年，空中客车公司的收入达到 386 亿欧元。

空中客车公司综合性产品线由非常成功的从 100 座级到 500 座级的系列机型组成，包括：单通道的 A320 系列（包括史上最畅销的 A320neo）、A330 远程宽体飞机系列（包括 A330 货机和多用途加油运输机）、新一代的 A350XWB 宽体飞机系列，以及全双层 A380 系列。空中客车公司独特的系列飞机理念确保了空中客车的电传操纵飞机在机身、飞机系统和驾驶舱及操作特性等方面享有最大程度的通用性，从而大幅度降低航空公司的运营成本。

空中客车公司已经售出超过13000 架飞机，拥有490多家客户和用户。自从 1974 年首架空客飞机投入运营以来，空中客车公司已经交付了 7900 多架飞机。空中客车公司致力于帮助航空公司最大限度地提高飞机利用率，并增强机队的盈利能力。空中客车公司建立了完善的全球性的客户服务体系，能够根据世界各地运营商的需求提供涵盖所有领域的技术支持。

空中客车公司总部设在法国图卢兹，是一家全球性企业，全球员工约 59000 人，在美国、中国、日本和中东设有全资子公司，在汉堡、法兰克福、华盛顿、北京、迪拜和新加坡设有零备件中心。空中客车公司还在图卢兹、迈阿密、汉堡、班加罗尔和北京设有培训中心。空中客车公司在全球各地还设有150 多个驻场服务办事处。空中客车公司还与全球各大公司建立了行业协作和合作关系，拥有遍布全球 20 多个国家和地区的由 2000 多家公司组成的全球供应商网络。

作为行业领导者，空中客车致力于成为一个真正的环保型企业。空中客车公司是全球第一家获得 ISO14001 环境认证的航空航天企业，该认证涵盖空客公司所有工厂和产品，并贯穿飞机生产和运营的整个生命周期。空中客车公司致力于确保航空运输继续成为环保型的交通方式，在创造社会价值的同时，减少对环境的影响。

空客A350XWB成功首飞

3M分布在全中国的27个办事处

福伊特驱动：

为铁路和城市轨道交通车辆应用提供完善的节能驱动系统

福伊特驱动为铁路应用提供优良的动力驱动系统产品。该公司致力于对驱动元件和系统的研发，提升终端产品的效率和经济性，从而产生持续的长期效益。为了实现这一目标，我们将自己在流体动力学、力学和电气工程/电子等方面的核心竞争力进行了智能融合。福伊特驱动的开发重点是改善能源消耗，提高工作效率和能量回收。核心产品为：铁路和轨道车辆前端模块系统和电牵引及驱动系统、液力传动内燃机车以及用于生产可再生能源的其他组件。

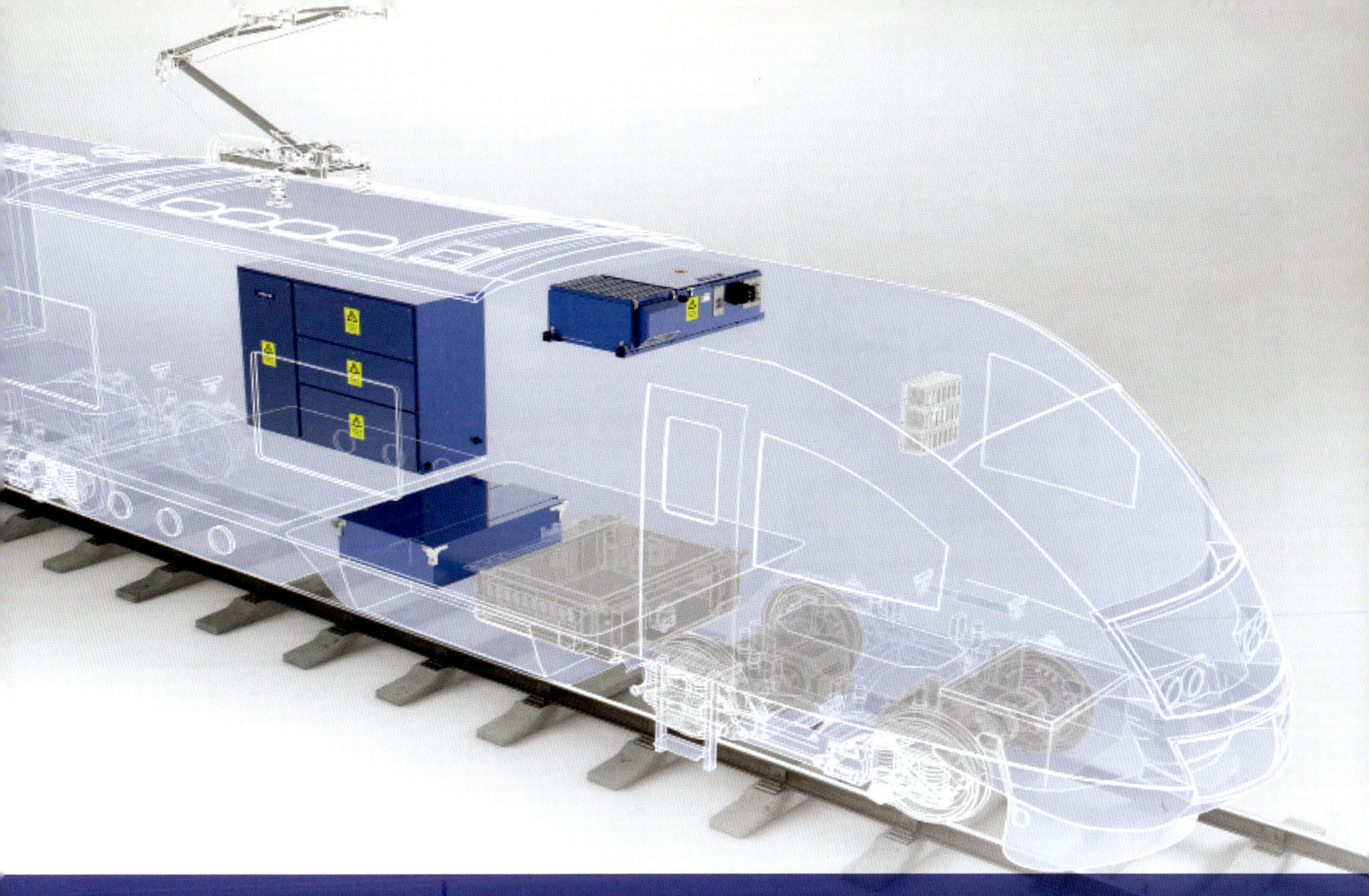

福伊特电力牵引系统：使车辆的运行更为经济高效

福伊特驱动能给交流传动、直流传动车辆以及内燃电传动车辆提供电力牵引系统。除了给新造车辆提供方案，我们也给翻新和动力重建项目提供定制方案。这些传动系统可应用于有轨电车、轻轨、地铁、动车组和机车上。

完美匹配的系统使车辆每天的运营更可靠，安全和有效。福伊特牵引系统包含高压设备，变压器，同步发电机，牵引变流器，控制单元，以及牵引电机和齿轮箱。牵引变流器是福伊特牵引系统的核心部件，配合其他福伊特部件形成了电力牵引系统。

福伊特牵引系统可对能量效率进行优化：

制动能量回收

能量储存系统（例如，超级电容）

在效率优化的模式下运行

高可用性配合友好的可维护性（模块化设计），可降低系统寿命周期费用，从而导致经济性的优化。

基于EmCon牵引变流器的IGBT功率可从220kVA 到1800kVA(大概可达到1.2MW作用于车轮上的连续功率)。它可设计成风冷或液体冷却，维护少，能效高，特别适合于车辆运营要求。

模块化的系统由变流器，逆变器，四象限控制器（4QS），制动斩波器和对应于能量储存单元的独立充放电斩波器。

变流器控制单元的主要功能包括：

快速动态的AC电机空间矢量控制

四象限斩波控制

制动斩波控制

能量储存单元充/放电控制

节能和线性友好牵引控制

高效动态防滑-防空转控制

诊断和维护支持

VOITH

福伊特驱动GALEA轨道车辆前端吸能系统：

灵活轻巧的车辆轻量化设计方案

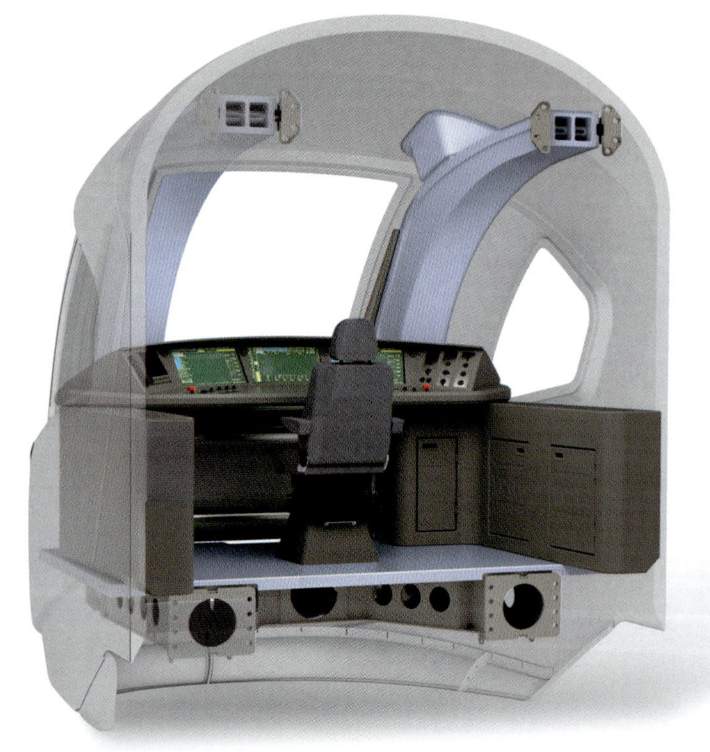

近年城市轨道交通和高速铁路发展迅猛，在运用过程中，世界各国先后都发生过一些造成重大人员伤亡和财产损失的事故，人们对于列车在事故状态下表现出的被动安全性的期望越来越高，希望车辆的头部和车钩缓冲器系统在列车撞击事故中能有效地吸收能量，降低作用力，保护人员不受伤，车辆主结构不损坏。同时，节能减排的大趋势也对车辆的轻量化设计提出了很高的要求。为此，福伊特驱动基于来自于摩托车手安全头盔的设计灵感开发了具有很高能量吸收效能的轻量化轨道车辆前端：GALEA。

GALEA轨道车辆前端的开发目标是满足EN15227中规定的被动安全性要求，并通过大量使用玻璃钢等非金属材料实现轻量化设计。

EN15227是目前世界上广泛采用的关于列车被动安全性要求的标准，它要求列车在图2所示的撞击工况中表现出以下的被动安全性能：

- 防止车辆爬起
- 以可控的方式吸收撞击能量
- 保持车辆主结构的完整性，为驾驶员和乘客提供存活空间
- 限制减速度值
- 降低脱轨风险，限制列车撞击轨道上障碍物所产生的后果

在前端结构中大范围使用了玻璃钢材料，最大限度地获得了减重的效果，整个前端（不含车钩）的重量仅为2.28吨。对于一个3辆编组，总重180t，年运行20万公里的动车组，使用GALEA前端可以实现节省燃油约5000升/年，减少二氧化碳排放12800千克/年。

福伊特

驱动环保型动力包

为车辆提供完善的废气再利用解决方案

节能减排是现代社会经济健康发展的一个基本要求，作为内燃动车组驱动系统的动力包也面临这个要求。福伊特驱动技术有限公司在自己开发的集成化内燃驱动系统-动力包的基础上应用了多项新技术，研发了环保型动力包。

两级增压技术，排气冷却再循环技术，带可再生燃烧和蒸发器的颗粒过滤装置的使用，使柴油机满足了EURO IIIb排放要求。

在列车制动时，通过静液压装置将列车的动能转变存储为液压能，待列车重新起动时，可以释放储存的液压能，作为起动牵引力的补充，使列车快速加速，或者在列车起动时仅使用储存的静液压能，使列车以25~30km/h的速度无排放无噪声地从车站驶出。

利用柴油机的排气余热产生蒸汽，蒸汽在膨胀器中释放能量，可用于驱动辅助发电机或者为车辆牵引提供附加牵引力，也可以为柴油机提供预热，或者为整个车厢采暖。

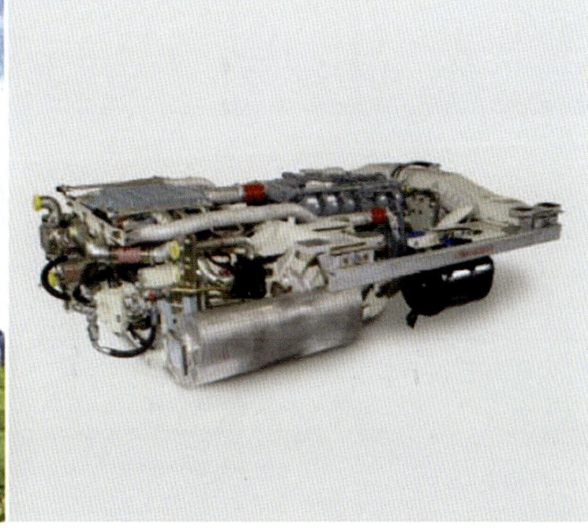

国家级大宗商品现货国际交易中心

国家级“低碳国际物流产业园”样板区

国家级大宗商品现代物流配送中心

东港易成国际物流产业园位于丹东东港经济技术开发区，园区规划占地3.13平方公里，总投资预计133亿元人民币。

2012年12月18日，东港易成国际物流产业园有限公司举行了园区的奠基仪式，和渤海商品交易所丹东玉米交易中心的揭牌仪式，当天举行了由国家发改委低碳研究中心举办的东北出海新通道东港易成低碳物流园课题研究座谈会。

东港易成国际物流产业园鸟瞰图

丹东国际商品交易中心项目

渤海商品交易所丹东玉米交易中心地点设在辽宁省东港市。位于辽宁东港易成国际物流产业园内，辽宁东港易成国际物流产业园是国家发改委“十二五”发展规划重点发展园区，是辽宁省重点发展项目。渤海商品交易所丹东玉米交易中心设立于此，正是因为物流园区符合渤海商品交易所对电子商务、大宗商品交易、交割、物流配送的相关要求。

渤海商品交易所丹东玉米交易中心于2012年12月18日揭牌，2013年1月21日玉米品种正式挂牌上市，中央电视台每天向全世界发布中国玉米价格指数。

渤海商品交易所丹东玉米交易中心建筑面积6000多平方米，联合17家银行、3家保险公司、5家担保公司、工商、税务、贸易商等相关单位联合办公，为客户开户、交收、融资提供一站式高效服务。

渤海商品交易所丹东玉米交易中心下设：客户市场部、交易结算部、交收部、信息技术部、风险控制部、物流服务部等机构。宗旨是为客户提供公开、公平、公正、高效、满意的服务。

渤海商品交易所丹东玉米交易中心的管理和业务人员，拥有丰富行业经验和专业知识能够履行好渤海商品交易所提出的各种要求和为交易商提供优质的服务。

项目总规划总建筑为129360 平方米。总投资额80827万元。

其中：丹东国际商品交易中心大厦设计层高25层，建筑面积为39330平方米。

五星级酒店设计层高16层，总体建设规模为22030平方米。

公寓建设4栋，层高19层，总规划面积为48000平方米。

总部经济区建筑面积20000平方米。其中：独栋总部办公楼8000平方米、联排总部办公楼12000平方米。

酒店简介

按照国际国内五星级酒店建设规范要求，综合考虑东港市未来高端酒店需求量和本项目未来发展需要，酒店总体建设规模为22030 平方米，其中地上建筑面积为19030 平方米，地下建筑面积为3000 平方米，设计大厦地上层数为16 层，地下层数为2 层，客房数196 间。

公寓、生活配套公建

总部经济区

辽宁港湾粮食现代物流仓储项目

（渤海商品交易所丹东玉米交易中心配套的交收库）

项目规划占地490亩，总建筑面积256298平方米，总投资87026万元人民币。

其中：房式仓251075平方米，仓容量150万吨；

综合楼3375平方米；机械器材库1800平方米；

门卫48平方米；购置设备100台（套）；

配套建设道路、广场及停车场28770平方米；

设有铁路专用线，绿化面积7266平方米。

东港易成粮食现代物流加工项目

规划占地面积167967平方米，总建筑面积114911平方米，总投资额77782万元人民币。

其中：玉米加工区建筑面积37744平方米，米业加工区建筑面积29875平方米，粮储区建筑面积47292平方米，道路、广场及停车场126021平方米，绿化14003平方米。

机械棚

检化验室

谷物冷却设备

环流熏蒸设备

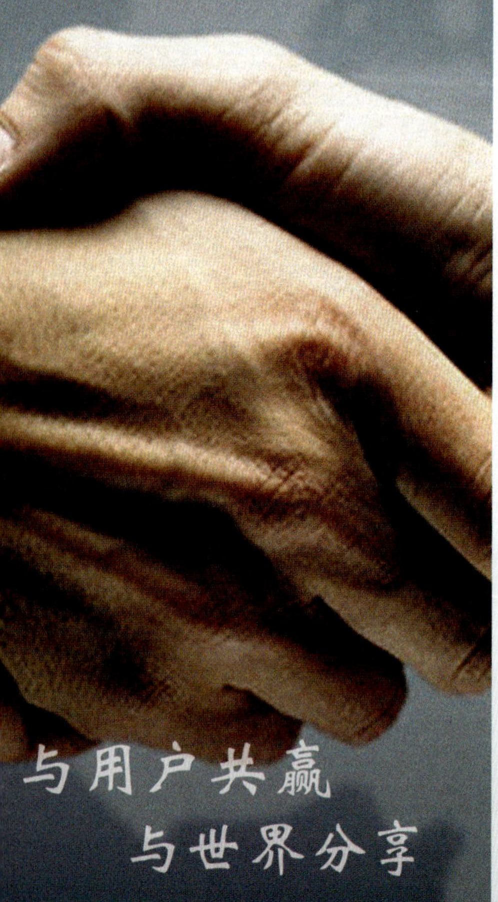

企业简介

COMPANY INTRODUCTION

山东德润科技发展有限公司成立于2007年6月,原名"济南润中润科技发展有限公司"。是专业从事固液相复合型润滑技术产品研发、生产、销售的高新技术企业。现有万吨级固液相复合型(GYF)润滑技术产品的生产线6条及配套的检验实验室,多年来公司技术团队矢志不渝的长期跟踪研发该项技术产品,经十几年的努力最终使该产品项目有了质的飞跃。2009年我们首次提出了"固液相复合润滑技术(产品)"这一概念,明确地反映出这一技术产品的本质特征,并被纳入了国家创新基金项目,成为润滑领域中的一支新军。

围绕固液相复合型润滑技术产品的研发生产,我们攻克了诸多技术瓶颈,拥有了十四项专利(十二项发明专利,两项实用新型专利);制定了七项固液相复合型产品的技术标准,通过了山东省技术监督局的审核批准;企业通过了ISO9001:2008质量体系标准认证,形成了完全自主的知识产权体系。

几年来围绕着固液相复合型润滑技术产品项目,先后研发生产出三大类(增效剂、润滑油、润滑脂)近50多个品种的润滑产品。并广泛应用于钢铁、水泥、煤矿、石油开采、船舶、工程机械、交通运输、机加工等行业,均取得了节能(节省燃油5%、节电8%以上)、环保(降低有害气体排放30%以上)、减摩(保护、延长发动机和设备寿命一倍以上)、增效(提高生产工艺效益,增加用户经济效益)的实践效果,深受用户好评。

2011年被交通运输部审定为"十二五"期第一批全国重点推广公路水路交通运输节能产品(技术),公司现正在筹建该项目的国家级工程技术研发中心,继续完善该项目的产品品种,提高技术水平,制定完善该项目系列产品标准,使其跨入行业或国家标准序列。

摩擦无处不在,德润时刻相伴,公司秉承"与客户共赢,与世界分享"的经营理念,愿与广大客户开创润滑领域新篇章。

企业资质 QIYE ZIZHI

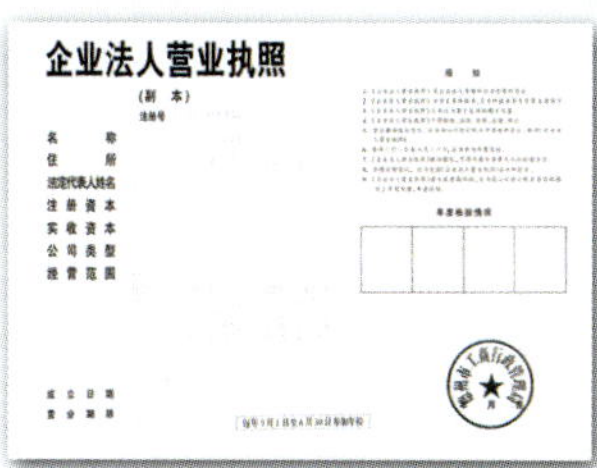
企业法人营业执照
（副本）

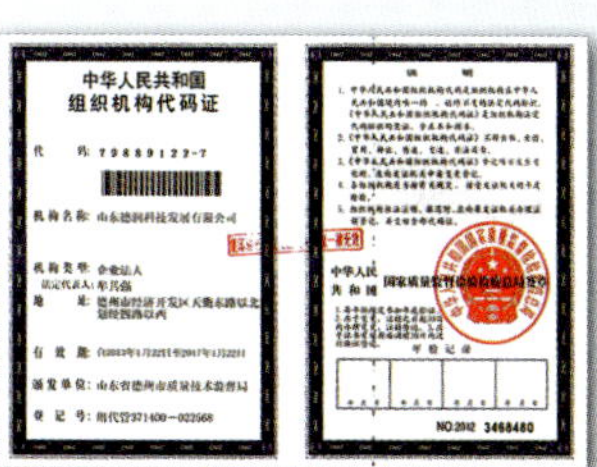
中华人民共和国
组织机构代码证

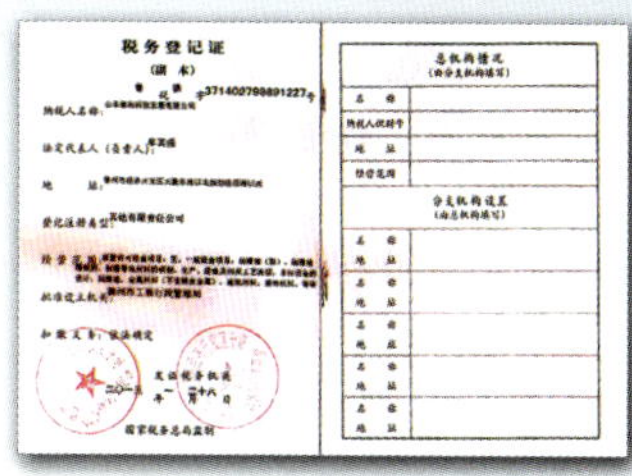
税务登记证
（副本）

北京中水卓越认证有限公司
山东德润科技发展有限公司

北京中水卓越认证有限公司
SHANDONG DERUN SCIENCE&TECHNOLOGY DEVELOPMENT CO.,LTD

商标注册证

山东省
企业产品执行标准登记证书

专利/荣誉证书 ZHUANLI RONGYU ZHENGSHU

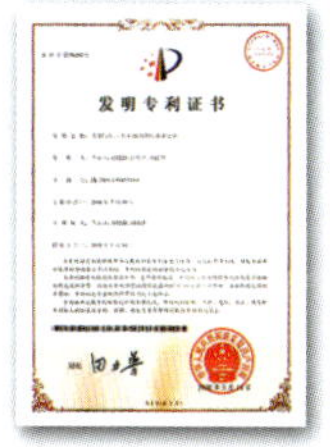
发明专利证书

发明专利证书

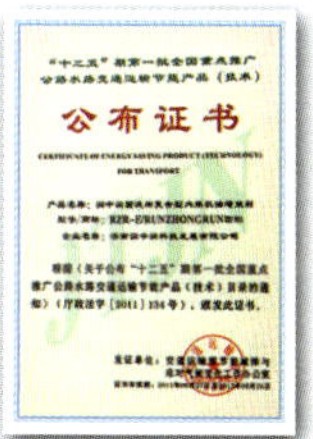
公布证书

证书

实用新型专利证书

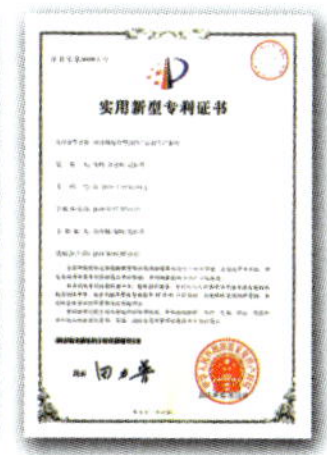
实用新型专利证书

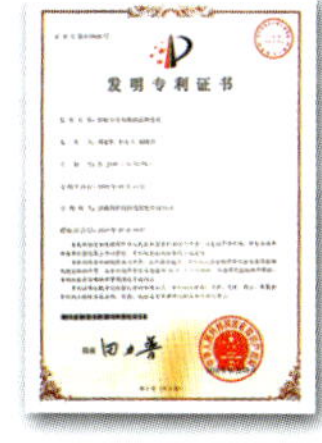
发明专利证书

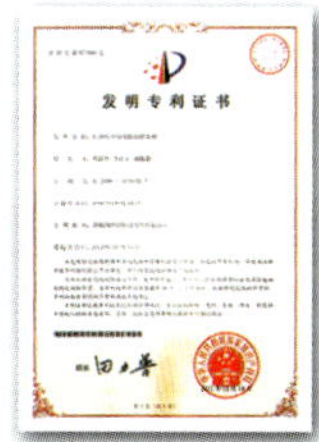
发明专利证书

科技型中小企业技术创新基金
立项证书
承担单位：济南润中润科技发展有限公司
项目名称：固液相复合润滑技术（产品）项目
项目类别：创业项目
立项代码：09C26213704577
批准文号：国科发计字[2009]579号
执行期限：2009.05.07 至 2011.05.07
INNOFUND

荣誉证书
济南润中润科技发展有限公司：
"润中润（RZR）固液相复合型内燃机油增效剂"
二0一二年度全国交通运输节能减排优秀成果。

产品图片 CHANPIN TUPIAN

LDS 力达士|润滑油

公司简介

四川力达士石油化工有限公司成立于 2009 年，位于成都国家高新技术产业园区，专业从事高端润滑油的研发、生产和销售。公司技术研发实力雄厚，与知名的科研院所、四川大学、行业权威机构、国际著名石化专家建立战略合作关系。自主创新、拥有完全自主知识产权的力达士新型润滑油获得两项国家发明专利，经科技成果鉴定，达到内燃机润滑油行业国际先进水平。

“力达士新型润滑油”是由我公司与四川大学历经数年共同研发，通过科技创新，采用新材料、新技术、新工艺、新配方研制而成。产品具有突出的节能减排功效，节约燃油 2% ~ 15%，减少车辆尾气有害排放 30%。为当前中国城市的机动车尾气污染治理提供了有效的解决办法；力达士新型润滑油达到车辆行驶 15 万公里内不换机油，改变了长期以来人们对润滑油消费习惯，大大减少了车辆维养费用、废弃机油的污染，是对润滑油行业的突破，具有里程碑意义。

本项目得到政府的大力支持，是四川省重大科技成果转化项目、战略性新兴产业发展项目、四川省建设创新型企业培育企业。产品企业标准通过四川省质量技术监督局评审认可并备案。企业通过 ISO9001 质量管理体系、ISO 14001 环境管理体系标准认证。公司目前建有年产 5000 吨高端润滑油的生产厂，产品已进入全国市场，广泛应用于车辆、工程机械、制造、发电、火车、船舶、航空、军事、勘探和采矿等领域，深受用户好评，市场前景巨大。

公司以打造高端润滑油第一品牌为工作核心，把“节能减排，改善环境质量”，“还世界一片蓝天”作为己任，积极响应国家节能减排产业政策，实现高端产业化，服务社会，造福人类。

中国已成为全球第二大润滑油消费国，国内润滑油市场近 1000 万吨，其中车用润滑油占 55%，工业用油占 45%。国内润滑油市场的中低端产品以国产品牌为主，高端产品以外资或合资品牌为主。到 2020 年，中国润滑油消费量将超过美国，成为全球第一大润滑油消费市场，全球庞大的汽车市场和难以估测的工业领域用润滑油。

节能减排、延长润滑油使用寿命是全球润滑油行业发展的主要趋势。随着机动车辆的大量使用，能源紧缺、空气质量污染问题已成为全球性难题和社会矛盾。欧美、日本等经济发达国家，基于环境保护的压力，在汽车排放标准上，已全面推行欧Ⅳ标准，推广欧Ⅴ标准，我国基于国情，现已强制推行国Ⅳ排放标准。

本项目的推广实施，将大大促进我国节能减排工作的开展，实现机械能效的提高，填补我国高端润滑油的部分产品市场空白。

因此，从润滑油领域优先取得突破，弥补和提升内燃机能效，助推国家排放标准的执行，从而有效缓解社会矛盾。

行业背景状况

LDS 力达士 | 润滑油

产品检测及认证认可

力达士产品荣获巴拿马国际金奖证书

产品检测及认证认可

产品质量、性能的检测机构

国家客车质量监督检验中心
国家石油石化产品质量监督检验中心
中国人民解放军后勤工程中心
四川省成都市汽车检测中心
四川大学分析检测中心
西南交通大学内燃机实验室

科技成果鉴定

鉴定证书：川科鉴字 [2012] 第 083 号
鉴定结论：整体技术达到国际先进水平。

科技成果

四川省重大科技成果转化示范项目
四川省战略性新兴产业发展专项资金项目
四川省十二五科技支撑计划项目
四川省科技型中小企业技术创新基金项目
四川省建设创新型企业培育企业

质量管理体系认证

企业通过 ISO9001：2008 质量管理体系
ISO14001：2004 环境管理体系标准认证

产品企业标准

Q/69226387-1.1-2011 力达士汽油机油
Q/69226387-1.2-2011 力达士柴油机油
Q/69226387-1.3-2011 力达士双燃料内燃机油
（四川省质量技术监督局评审认可并备案）

知识产权

公司拥有数十项润滑油先进生产技术，获得两项国家发明专利。
ZL 201110204899.5《一种内燃机润滑油及其制备方法》
ZL 201110204754.5《一种发动机润滑油添加剂及其制备方法》

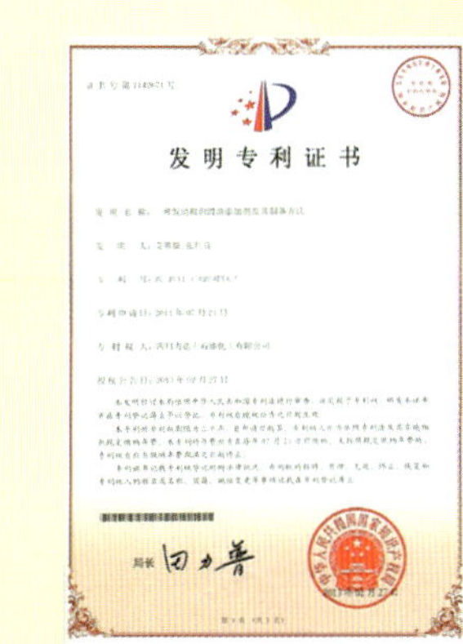

荣誉证书

LDS 力达士|润滑油

产品优势

产品特点

力达士新型润滑油与国际知名品牌润滑油同比试验，达到：

长效：延长润滑油使用寿命，达到3万、5万、15万公里内不换机油

节能：降低车辆燃料消耗2%～15%

减排：减少机动车尾气污染物排放30%（CO、HC、NOx、PM颗粒）

降噪：降低噪声11%

提升发动机引擎动力，延长发动机使用寿命

经济价值与社会效益：

如全国机动车广泛使用力达士润滑油，每年将为国家节约燃油2800万吨；减少废弃机油390万吨；创造经济效益达5680亿元；减少污染物排放量1700万吨（占全国机动车污染物总排放量三分之一），具有巨大的经济价值和社会效益！

产品竞争优势

1、产品技术先进，达到国际先进水平。

2、具有优越的超高性价比，综合使用成本仅为主流品牌润滑油的 1/6。

3、公司建立完善的 ERP 管理平台，对发展商 / 门店 / 用户的信息、资源集成，规范管理，高效运作。

4、独创的润滑油售后服务体系，具有售前、售中、售后全程服务的润滑油。

5、由保险公司承保的润滑油，保证产品使用无后顾之忧。

6、政策支持。产品具有节能减排突出功效，符合国家节能环保产业政策，无论社会、企业、个人，均将受益。

LDS 力达士|润滑油

成功案例与市场营销

公司总部建立以服务为导向的润滑油渠道销售新模式。

●专营门店发展

以地区发展商为中心，建立力达士润滑油养护中心连锁店，实行价格统一化、服务专业化、形象标准化。确保品牌市场发展的快速性、可持续性。

目前已在全国建立了力达士专营门店达几百家。从四川到全国省市，发展商对所在区域市场进行开发、推广，如北京、内蒙、河北、黑龙江、辽宁、吉林、江苏、浙江、上海、安徽、湖南、贵州、重庆、广东等地区。产品进入市场后，普遍受到消费者喜爱。如长沙发展商，以力达士润滑油养护中心为依托，进行汽车维养、综合服务，门店规模类同 4S 店，

●大客户开发

政府采购、交通运输集团；发动机、汽车制造商 OEM 专用润滑油；天然气压缩机油大客户；船舶、电站、军事装备；大型工业重装备、工业制造企业等专用客户。

2012 年，四川省经信委车队全面使用力达士新型润滑油，节能减排等综合效果突出；

2013 年，四川省纪委车队使用力达士新型润滑油后，其节能达 10% 以上，大大节省维养费用，拟准备在全川纪委系统全面推广使用力达士新型润滑油，为全川政府机关车辆减少财政支出制定相应使用办法。

2012 年，与中船重工签订战略合作协议。新一代船舶用油在内河、远洋船舶上的使用，将成倍延长船舶用油的使用寿命，保证远航时间，其经济效益巨大。

成都鹏程运输集团公司、四川雅安众程运业发展有限公司、乘风出租汽车公司等多家公司直接与公司合作，城市公交客车、出租车、客货运输车全面使用力达士润滑油，将大大降低公司车辆的使用、维养费用，带来可观的经济效益。

●政策支持

配合国家节能减排政策，争取国家及各级政府的支持，引导市场消费。国家《节能减排“十二五”规划》已在全国推广执行，对社会、企业、个人来说，都是利好，力达士新型润滑油的节能减排功效是生逢其时！得到国家有关部委、省市政府的高度关注和支持。

全国新能源节能产品指定供应商管理办公室（在国务院能源办、国家发改委、交通运输部、住建部、商务部指导下成立）指定力达士公司为战略合作伙伴，在全国各行业内全面推广使用力达士新型润滑油。

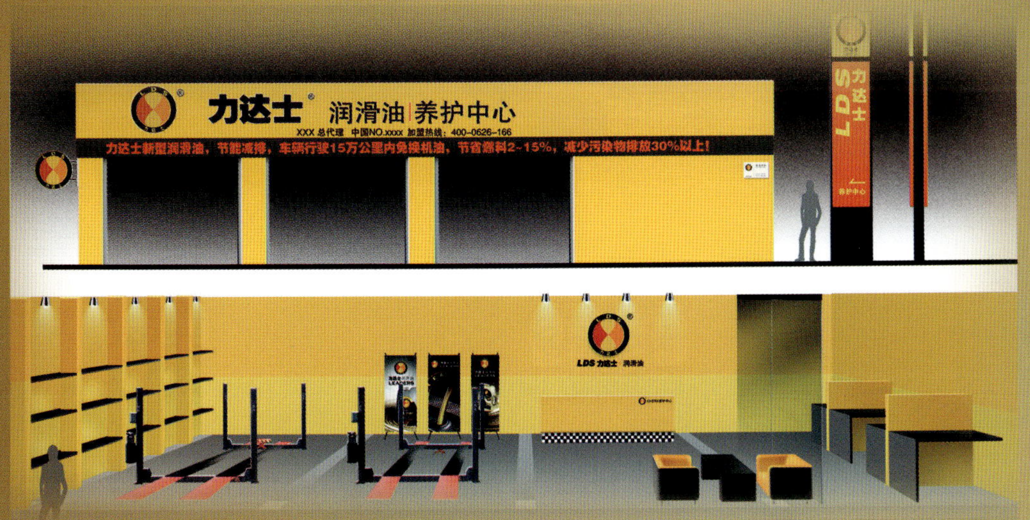

品质 技术 创新

客车专有技术和专用总成，自主研发与企业核心竞争能力不断提升。一汽客车在短前悬、低地板、纯电动、混合动力、纯天然气、校车、消防车等产品的研发方面走在了行业前列。一汽客车在安全性、可靠性、操控性上体现责任；在环保性、经济性、舒适性上引领需求；在感动服务、超值服务、放心服务上兑现承诺，全力打造中国客车行业的知名品牌。

一汽客车总经理、党委书记　戴智

面向未来，一汽客车人正以自己特有的汽车情怀，抗争图强，昂扬向上，为推动汽车工业又好又快发展，为实现人·车·社会和谐发展做出新的更大的贡献。

销售热线：400-004-2666

销售/服务传真：0431-84626053

服务热线：0431-84626051

江苏宝粮集团简介

江苏宝粮控股集团有限公司是江苏省首家县级粮食集团公司。下辖江苏宝应湖粮食物流中心有限公司、扬州市名佳食品有限公司、宝应县奕佳农牧有限公司、宝应县永佳米业有限公司、江苏宝应湖粮食运输有限公司、江苏宝粮油脂有限公司、宝粮酒业公司七大子公司。

- 江苏宝应湖粮食物流中心有限公司规划用地720亩，计划总投资约10.8亿元人民币，其中一期工程总投资1.8亿元，按照现代化粮食物流“四散化”（散装、散运、散卸、散储）的要求，现拥有38万吨仓容、日处理2000吨大型低温烘干设备等基础设施。

- 扬州市名佳食品有限公司位于粮食物流园区内，注册资本1600万元，生产线全套引进瑞士布勒设备，采用国际先进的PLC程序控制系统和中长粉工艺，年产面粉15万吨，日处理小麦450吨。主要生产超级粉、中筋粉等各种通用和专用粉，产品主要销往江、浙、沪、广东、福建等地区。目前公司正与高校合作，研发高附加值产品。

- 宝应县奕佳农牧有限公司，注册资本200万元，2010年投入运营。现有特色农产品和优质稻麦种植基地共1300亩，其中果园300亩，种植3个系列7个品种的有机功能水果。粮食种植与苏州硒谷科技公司合作，生产富硒功能性小麦、稻谷，为扬州名佳食品、永佳米业提供优质专用粮源；奕佳”农牧超市，销售放心水果、放心粮油、放心农产品，满足中高收入群体需要。

- 宝应县永佳米业有限公司,现有生产车间两个，年生产大米16万吨。

江苏宝应湖粮食运输有限公司，现有千吨级粮食专用码头一座，拥有各类车辆42辆，年运输能力达80万吨。

- 江苏宝粮油脂有限公司具有植物油生产、精炼生产线。执行国家临时油菜籽、储存油政策的企业。
- 江苏宝粮酒业有限公司是集团综合利用粮食资源，进行古法生产，纯粮酿造，年产500吨白酒生产企业。
- 目前集团公司已形成粮食种植、购销、加工、运输、仓储、检测、配送为一条龙服务体系的农业产业化企业。

集团公司现有固定资产 7.2 亿元人民币，2012 年江苏宝粮控股集团股份有限公司共收购粮食 50 万吨，销售粮食 50 万吨，实现销售收入 15 亿元，同比增长 48%，实现利税 2000 万元，同比增长 560%。

2013 年 1~5 月宝粮控股集团加工企业实现：加工大米、面粉 5 万吨、销售 100%，销售收入：2 亿元，主产品销售：1.4 亿元、税收 90 万元、毛利 569 万元、纯利 156 万元。1~5 月份 30 家重点企业开票销售总量名佳食品排第 7 名，30 家重点企业开票入库税金增幅第 8 名。

江苏宝粮控股集团股份有限公司宝应湖粮食物流中心和廷柏粮库已获得“中央、省储备粮资格”，“中国十佳粮食物流(产业)园区”“中国百佳粮油企业”获得“全国仓储规范化管理先进企业”、省农业产业化重点龙头企业、“江苏省示范粮库”、“扬州市文明单位”、“扬州市粮食收购规范站点”、“扬州市服务业集聚区”、“为农服务先进单位”等称号。扬州名佳面粉有限公司是国家示范加工企业，产品通过ISO9001质量体系认证，“名佳”牌系列小麦粉被评为“江苏省名牌产品”、“扬州市知名商标”、获得全国“绿色食品”、“无公害农产品”、“放心面”称号，2010 年被中国粮食行业协会首批授予“全国放心粮油示范加工企业”称号，扬州市质监局评为“计量合格单位”，被县委县政府评为“四个一”工程梯度培育先进单位、“优秀农业产业化龙头企业”。

物流中心
烘干设施

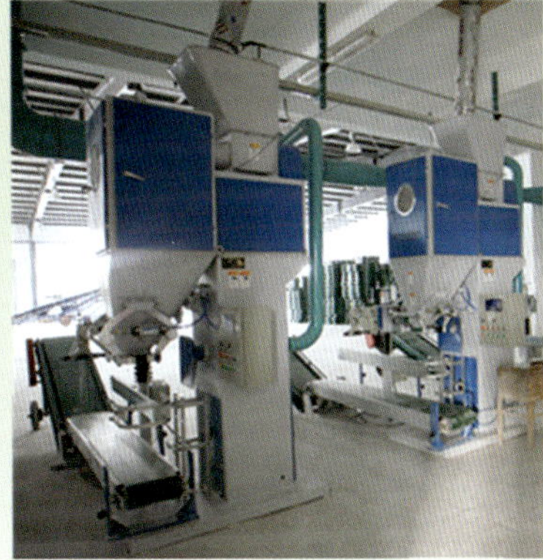

扬州名佳食品
生产车间

奕佳农牧
示范基地

运输公司
码头

产品及应用图片

（※产品图片）

超高分子量聚乙烯复合管

聚氨酯复合三通

纳米(改性) 聚氨酯复合管

大管径聚氨酯复合管

出口产品

海洋疏浚管道

凸凹环形密封结构

（※应用案列）

矿上应用案列

海洋疏浚应用案列

化工厂应用案列

电厂应用案列

化工应用案列

地址：江苏省南通市通州区滨江新区韩通路88号　电话：0513-68910999　传真：0513-68655956

邮编：226368　电子邮箱：jl@jsjxkj.sinanet.com　公司网址：www.jsjxkj.cn

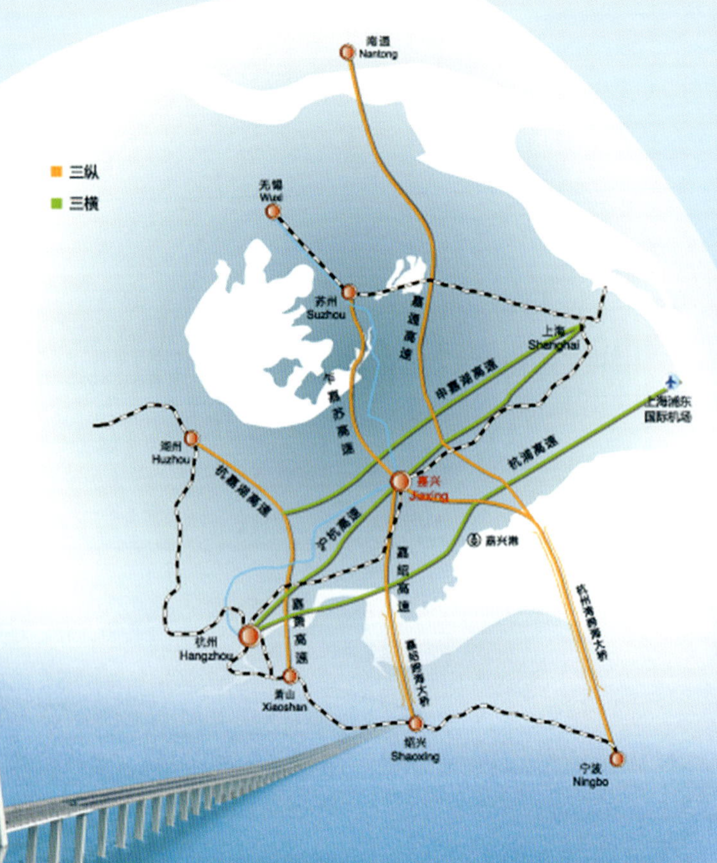

嘉兴现代物流园地处长三角地区核心腹地和“上海都市型经济圈、环杭州湾经济圈、环太湖经济圈”三大经济圈几何中心，是中国物流示范基地、国家交通运输部与浙江省政府“部省共建”的重点物流基地、省现代服务业集聚示范区、省产业集聚区，同时园区已被国家发改委列入全国重点布局的物流园区。其立足嘉兴，服务长三角，着力打造以陆路枢纽为基础，海河联运、空港物流为补充，区域配送为特色，第三方物流集聚和物流资源整合为核心，物流科技应用为支撑的长三角“制造业、商贸业、物流业”三业联动的现代物流示范园区。目前，园区已集聚了沃尔玛华东配送中心、玛氏中国配送中心等高端配送中心及国内外知名物流设施提供商；顺丰、申通、圆通等知名快递企业；浙江川山甲、百联集团上海物贸等引领行业的物资供应链管理企业；DHL、德邦物流、浙江宇石物流等第三方物流企业；雅迪装饰、捷玛科技等服务外包企业，形成了完整的物流产业链。

地址：浙江省嘉兴市秀洲区王店镇吉蚂西路1号

电话：0573-83303870　　传真：0573-83303871

网址：www.jxlp.gov.cn　　电邮：yaojx@139.com

一个正在崛起的现代物流示范基地

呼伦贝尔金俊实业有限公司
公司及项目介绍篇

呼伦贝尔金俊实业有限公司成立于 2012 年 3 月，是一家股份制民营企业，是以现代物流产业开发、城市基础设施建设为一体的企业，公司作为对大兴安国际物流园的运作单位，为大兴安国际物流园区开发新成立的公司。注册地址设在牙克石市兴安西街 33 号(物流园区内)。公司法人、董事长王一鸣先生，具有丰富的经营管理经验和先进的开发理念，王一鸣先生同时担任呼伦贝尔市物流协会会长，广州白云区进出口商会副会长，华商协会副理事长；公司的最高管理层由包括王一鸣先生在内的 7 名董事组成，汇集了最先进的思想及高超的实操能力。企业发展深入贯彻落实科学发展观，按照依法、高效、安全、环保的原则，以满足城市居民和经济社会发展需求为目的，以提高配送效率、降低物流成本为核心，理顺体制机制，落实管理职能，创新管理方式，优化配送模式，全面提升城市配送的公共服务能力、市场监管能力，探索构建服务规范、方便快捷、畅通高效、保障有力的城市配送体系，促进城市配送与城市经济社会发展相适应、相协调。

大兴安国际物流园位于中国最美丽的草原内蒙古呼伦贝尔牙克石市，所处地理位置得天独厚，中、蒙、俄三国交界，地处哈大齐经济带核心，是欧亚大陆桥的咽喉和进入大兴安岭林区的门户，战略位置极其重要。距离海拉尔新建机场 35 公里，近邻牙克石城市中心。滨州、牙林、博林三条铁路在此交汇并设有货运站点。301 国道横穿项目内部，是连接中国最大陆路口岸满洲里和内地的主要通道。牙克石汽车客运站座落其中，公铁空联运，天生王者的国际物流港顺势而成。

大兴安国际物流园项目占地面积 13.9 平方公里，规模庞大；滨州铁路、301 国道横穿项目内部，是两大交通动脉，背靠东北三省，面向俄蒙的大区位优势；占地辽阔，业内翘楚；获市政府政策支持，初期成本得到补助；陆路通达性良好，过境便捷。

园区立足呼伦贝尔和大兴安岭林区，面向东北三省、俄蒙地区及东北亚地区，园区将打造成为现代化、信息化、集约化、产业化的蒙东沿边经济区重要商品集散地、大兴安岭林区的物流中心，内蒙东部重要的物流基地、我国东北地区的重要物流节点，最终成为联通欧亚的国际级综合性物流园区。园区集合国际及国内货运功能：国际运输、干线运输、区域配送、城市配送、快递、冷链运输等；保税仓储及普通仓储功能：大宗货物仓储，工业品仓储，生鲜、水果等产品的冷藏冷冻仓储，进出口物资保税监管；增值服务功能：物流金融、国际采购与国际商贸、流通加工、物流信息、报关、商检、物流培训与咨询等；商贸展示流通功能：煤炭、木材、钢材、建材家居、五金机电、汽车与汽配、

机械设备、农产品等产品的展示交易；商务及生活服务功能：文化创意、科技创新、商务办公、餐饮、旅游休闲、配套居住等功能于一体的国际级综合性物流园区。顺应现代物流业发展推进牙克石市现代物流业发展，对于降低社会流通成本，转变经济方式，优化资源配置，提高市场响应速度和产品供给时效，增强国民经济竞争力，提高国民经济运行质量、效率和效益，具有十分重要的意义。秉承着低碳发展的目标开展各项工作，以低碳经济通过基础设施的技术性和其他方式的创新和改变，以及行为方式的改变，使经济增长逐渐与温室气体和其他污染型排放脱钩。大兴安国际物流园区主打建设六大板块，建材家居物流港、农林产品物流港、生态民俗文化村、文化产业与高新技术产业示范基地、仓储冷链、返迁安置区。

优先发展现代物流业是促进三产发展的重要手段，促进三产、增加税收、扩大投资将使得地区经济发展形成良性循环。大兴安国际物流园区将通过多种交通方式的有效衔接、各种物流功能的整合、技术创新、规模运作，促进本市工业和商贸流通业的发展，促进城市外向性经济的发展，形成区域辐射力和国际影响力，改善城市的交通、生态环境、优化城市的功能布局、丰富城市的景观网点，显著增强物流业的综合竞争力。

呼伦贝尔金俊实业有限公司对大兴安物流园项目提出的背景具有重要也意义：近几年，随着经济社会发展和工业化程度的不断提高，现代物流应运而生，并持续快速发展。现代物流业连接着生产与消费，是一种先进的组织方式和管理技术，对于加快经济循环、合理配置资源、节约成本，提高经济运行的质量和效益，有着十分重要的作用。《中华人民共和国国民经济和社会发展第十一个五年规划纲要》，第一次把现代物流业提高到一个历史性的高度，成为中国物流业发展的一个里程碑。在《第十一个五年规划纲要》中，明确了我国物流业的四项任务：第一，推广现代物流管理技术，促进企业内部物流社会化，实现企业物流采购、生产组织、产品销售和再生资源回收的系列化运作。第二，培育专业化物流企业，积极发展第三方物流。第三，建立物流标准化体系，加强物流新技术开发利用，推进物流信息化。第四，加强物流基础设施整合，建设大型物流枢纽，发展区域性物流园。《中华人民共和国国民经济和社会发展第十二个五年规划纲要》提出要大力发展现代物流业：加快建立社会化、专业化、信息化的现代物流服务体系，大力发展第三方物流，优先整合和利用现有物流资源，加强物流基础设施的建设和衔接，提高物流效率，降低物流成本。推动农产品、大宗矿产品、重要工业品等重点领域物流发展。优化物流业发展的区域布局，支持物流园等物流功能集聚区有序发展。推广现代物流管理，提高物流智能化和标准化水平。

加快经济社会信息化：推动经济社会各领域信息化。积极发展电子商务，完善面向中小企业的电子商务服务，推动面向全社会的信用服务、网上支付、物流配送等支撑体系建设。

国家发改委等部门出台《关于促进我国现代物流业发展的意见》、《全国物流标准化 2005 ~ 2010 年发展规划》以来，引起了各有关部门、地方政府高度重视和物流企业普遍欢迎。物流是一种先进生产力，物流业的水平从一个侧面反映了一个国家综合科技水平的高低。物流学是一个综合学科，涉及管理学、工程学、信息科学等等，物流技术与装备涉及先进运载工具与运载方式，特别是多式联运、集装箱与节能半挂车、集装箱智能化、快递服务等；涉及信息网络技术，特别是 RFID；涉及第三代港口与无纸通关；涉及配送中心的机械化、自动化技术；也涉及到冷链物流、绿色物流、静脉物流、精益物流等新的领域。可以肯定，建立快捷、高效、安全、方便并具有国际竞争力的现代物流服务体系，大幅度提高物流的社会化、专业化和现代化水平，将是“十二五”时期社会经济发展的一个重要目标。

呼伦贝尔金俊实业有限公司承建的大兴安国际物流园将以独特的低碳发展模式，为社会营造一个公平的社会环境。用实际的低碳行动完成可持续发展的意义。

呼伦贝尔金俊实业有限公司
公司及项目招商篇

接轨全球市场，影响全球经济，又一个城市亮点，正以前所未有的速度升起于呼伦贝尔大地，巍巍兴安，气象万千。牙克石，因大山闻名，因森林著称。这里，是北方民族的摇篮，北方文明的源头。因其厚重、雄浑而成为投资兴业的热土。近几年牙克石发展的脚步铿锵有力，大兴安国际物流园区像一枚巨大的棋子分布于棋盘之上，以纵行南北，横贯东西的辐射气度，引领着呼伦贝尔经济腾飞的光荣梦想，也因其独特的优势而必将实现面向俄、蒙，辐射东北亚，走向全世界的国际型商贸物流园区。日新月异的大兴安物流园区正张开热情的怀抱，诚邀天下客商共筑传奇梦想，乘势扬帆起航。诚邀各界生产商、制造商、零售商、货运商、第三方、第四方物流企业入驻。

一、税收优惠

（一）物流企业减收企业所得税

凡设在我市境内的物流企业，其三营业务收入占企业总收入 70% 以上的企业，减按 15% 的收率征收企业所得税；参与公铁分流的公路运输企业，其主营业务收入占企业 70% 以上，减按 15% 的税率征收企业所得税。

（二）减免其他费用

经自治区人民政府批准的在建物流园、道路运输站场和物流配送中心，减半征收城市基础设施配套费、人防易地建设费和道路临时占用费，征用土地不计征土地管理费。

（三）物流园区内企业“两免三减半”

对于入驻园区的企业、合作开发企业及建设企业，将享受增值税、营业税、企业所得税及其他税费的牙克石市留成部分“按前三年全额后两年减半的标准先征后奖补”的税收优惠政策。

二、用地支持

（一）优先保证物流用地

对列入现代物流业发展规划的物流园区、物流项目和物流企业建设用地，要优先保证。土地出让金优惠可采取一事一议的办法解决。

（二）优先审批安排物流用地

凡符合我市土地利用总体规划、城市总体规划和现代物流产业发展规划的物流企业和物流项目，在土地利用年度计划内优先审批、优先安排。

（三）减免土地税费

利用荒山、荒地、荒滩开发的符合国家产业政策的物流项目，5 年内免征土地使用税，减半征收土地管理费和土地出让金。

大兴安国际物流园功能分区规划图
大兴安国际物流园区功能分区规划图
物流加工港
冷链物流港
仓储物流港
仓储冷链
生态居住区
电子交易与金融服务平台
公路物流港
汽车机械物流港
农林产品物流港
建材家居物流港
箱货保税中心
公铁联运物流港
大宗物资保税中心
化工物流中心
商业沿街
返迁安置区入口图
大兴安国际物流园功能分区规划图

盐城市
城西南现代物流园区企业简介

盐城市城西南现代物流园区位于盐城大市区“一城六片”之一的城西南片区，规划总面积 10 平方公里，区域范围东至吴抬路，南至南环路，西至 204 国道，北至鹿鸣路，毗邻宁靖盐、盐徐高速出口，交通运输便捷，区位优势凸显。

一、规划引领

按照区委“双新盐都、高端发展、跨越争先、生态特色”的要求，盐都新区紧扣“高端服务业、美丽新城区”的目标定位，加速产城融合，突出兴园强企，着力打造创业宜居、水绿特色的现代化新城。

城西南现代物流园区以“合力共建高新区”为契机，遵循控规整合规划，放大“省级重点物流基地”和“省级现代服务业集聚区”品牌效应，加快盐渎路公共服务带、204 国道物流带和盐渎路以北生活消费品物流片区建设，加速推进商贸物流和第三方、第四方物流集聚，全面提升“一区多园”的品质和层次。

二、基础配套

基础设施。城西南现代物流园区 3.16 平方公里核心区内城市次干道和支路网框架已拉开，排污、排水、供气、通信等配套设施同步建成，整体提升了园区承载力。

生态环境。城西南现代物流园区坚持点、线、片相结合，已建成第一沟、双纲河、西干渠等滨河绿带和盐渎路、新都路、204 国道等道路节点绿化，形成点成景、线成荫、片成园、面成绿的景观效应，凸现“水”的灵气，彰显“绿”的生气，精心勾勒“城在绿中、水在城中、人在园中”的立体生态画卷。

公共配套。新区已建成神州路九年一贯制学校，恒大名都、港龙华侨城、翰林壹品等优质小区正在热销，麦德龙超市、黄海农商行等商业机构为居民提供生活便利，另有文汇路小学和神州路标准化示范幼儿园、汇金大厦、瑞金大厦等项目正在建设，加上已建成运营的物联大厦，既拉动人气、集聚商机，又完善延伸城市服务功能。

三、项目兴区

园区按照“一区多园”的理念，重点发展以神龙公路港和悦达摩比斯等为代表的汽车整车及汽配物流，以苏宁云商盐城配送中心为代表的日用消费品物流，以盐城亚邦物流中心为代表的三方（四方）物流。截止目前，已引进项目 12 个，占地 1179 亩，总投资 31 亿元，总建筑面积 45 万平方米，其中建成项目 6 个，分别为烟草物流、江苏悦达摩比斯贸易有限公司、江苏华晓医药物流有限公司、江苏悦达包装储运有限公司、苏宁云商盐城配送中心一期和物联大厦；在建项目 3 个，分别为盐城亚邦物流中心、神龙公路港物流基地和悦达物流装备；待建项目 3 个，分别为利华农机仓储交易中心、神农大丰种业研发中心和中天海银商务中心。2012 年，年园区实现主营业务收入 85 亿元，税收 2.3 亿元，预计 2013 年，园区将实现主营业务收入 100 亿元，税收 3 亿元。

四、美好愿景

十二五末，园区将基本建成立足盐城、面向苏中苏北、以盐城市为中心的 2 小时经济圈为辐射半径，以生活性物流为主导、生产性物流为补充的区域性物流中心。

四、美好愿景

（城西南现代物流园区鸟瞰图）

（盐都物联大厦）

（江苏悦达摩比斯贸易有限公司）

（苏宁云商电器配送中心）

（江苏悦达包装储运有限公司）

（江苏华晓医药物流）

（盐城烟草物流配送中心）

联系信箱:ydwlds@163.com
电话：0515-81088181
地址:盐城市盐都区盐都物联大厦（盐渎路与204国道交汇处）

金鹏物流园欢迎您
Company 企业简介
>>> Brief Introduction
深圳市金鹏物流园
深圳市金鹏物流园是国家AAAA级物流企业，位于深圳市龙岗区，是目前深圳市占地面积最大、功能最完善的公路港物流园区。园区占地面积30万平方米，建筑面积20万平方米，建设有物流商铺600余套、多功能仓储配送中心4万平方米，可实现货物配载、装卸、存储、搬运、物流信息发布、车辆停放等全方位物流功能。进驻园区的物流企业达300余家，运营着包含港澳在内的全国各省市的直达专线，园区日均车流量超过6000辆，年货物吞吐量达3000万吨，在深圳乃至珠三角的物资集散中发挥着举足轻重的作用。
2005年开园运营以来，园区得到了省市区各级政府的深切关怀和大力支持。几年来，本着“高起点、高标准、高品质”的发展理念和打造一流公路物流园的宏伟愿景，科学规划，合理布局，不断加强和完善软硬件配套设施建设。公司先后获得了“国家AAAA级物流企业”“中国物流最具影响力企业”、“中国物流知名品牌”、“中国最佳物流园区”、“中国物流诚信企业”、“中国物流民营企业100强”、“中国物流园区自主创新示范基地”、“中国物流之星”、“十大优秀物流园区”、中国电信“商务领航信息应用示范单位”等称号，并于2008年通过ISO9001质量体系认证，是中国物流采购联合会常务理事单位及广东省物流行业协会副会长单位。
今后，园区将不断探索物流发展的新思路，致力于打造华南地区重要的供应链服务基地和具有影响力的物流枢纽，用先进的信息平台吸引、整合各种物流资源，通过集聚、扩散、辐射，以海空“两港”运输、物流配送和电子商务为主体，以国际物流、区域物流、城市物流为支撑，形成国际化现代综合物流体系。并衔接全球的综合物流信息中心，成为促进现代物流业发展的龙头企业。
发展现代货运 领跑现代物流
Develop International Trade and Lead Modern Logistics
金鹏物流园
金鹏物流园
Jinpeng Logistics Park
地址：深圳市龙岗区南湾街道办沙平北路536号 联系电话：0755-89575666
网址：http://www.jpwl.net/indexa.asp 电子邮箱：service@jpwl.net

如皋港务集团

RUGAO PORT GROUP

Brief introduction 简介

如皋港务集团有限公司是国家一类开放口岸— 如皋港对外公用码头。2007年6月。经江苏发改委及交通运输部批准开工建设，码头岸线总长1025米，总投资20多亿元，建有15万吨级泊位2个，5万吨级泊位2个。港池岸线572米，建有5千吨级泊位6个。

码头于2008年8月开港，主要经营煤炭、矿石、钢材、木材、粮食、钢构等散、杂货，2009年完成吞吐量576万吨，2010年完成吞吐量1102万吨，2011年完成吞吐量1800万吨，2012年完成吞吐量2300万吨，公司连年荣获如皋服务业十强企业。

Enterprise culture 企业文化

优质服务

公司不断加强现场管理，严格执行"四标六清规定、尊崇"客户至上"的原则，用优质服务，创建文明码头，努力做到"快捷、高效、优质、安全"。

优质服务

团结拼搏、奋勇争先、创新共赢、追求卓越

地址：江苏省如皋市长江镇（如皋港区）疏港路6号

网址：http://www.rgport.com

办公室

电话：0531-84588568

传真：0531-817[illegible]

生产调度部

电话：0531-68163638

传真：0531-81739219

企业介绍

深圳市方格尔科技有限公司，成立于2010年6月，注册资本人民币1000万元 。公司致力于交通领域设备的技术研究和开发，公司科研项目——城市停车智能化管理系统　通过近多年的设计、论证和开发，其系列产品是在现有道路停车应用与管理设备基础上的一次革命性的创新。公司自主开发的道路停车智能化管理系统方案完全打破了传统意义收费咪表的概念，将现代科技融合到智能管理需求上，符合中国国内各市未来二三十年发展的需要和世界潮流。

公司通过持续的科技创新，系统产品的信息化和智能化水平具世界领先地位，目前，此项目陆续申报和获得了19项专利与知识产权，其中包括：2项国际专利、3项国内发明专利和9项实用新型专利，以及4项外观设计专利和1项软件著作权，由此成为深圳市政府重点扶持的科技创新型企业。公司注重于技术与产品应用的完美结合，将物联网RFID技术应用于停车行业,针对国内各市日益突出的因停车带来的各种矛盾如街道车辆乱停乱放和收费管理存在人为舞弊的现象，不断完善并推出了人性化、高效、便利和符合中国国情的城市停车智能化解决方案，其中包括：物联网RFID技术的道路停车智能管理系统、室内外停车场一体化引导与RFID车辆身份识别系统和最便捷的城市停车诱导系统。

目前，公司的市停车智能管理系统产品已批量生产，并已走向国内外市场，目前已经在国内外多个城市中使用并逐步推广,反响良好。随着本项目产品成熟度不断提升，物联网RFID技术在停车智能化行业将真正得到普遍使用。

公司专利与知识产权

专利类型	以申请专利主题	数量	状态
PCT	停车收费管理方法及其终端、咪表、管理服务器和系统；一种停车收费后台计费业务方法和系统	2	已申报受理
发明	一种停车收费装置；一种路边车位信息采集系统；停车场信息管理系统等	4	已申报受理
实用新型	停车收费终端、咪表、管理服务器和系统；停车收费装置；后台计费；一种识币器咪表；停车场信息管理系统；车位探测器；停车场停车位信息采集等	8	已全部得到授权
外观设计	卡式咪表、币式咪表、车位探测器、电子标签等	4	已全部得到授权
软件著作权	道路停车收费管理系统软件	1	已得到授权
合计		19	

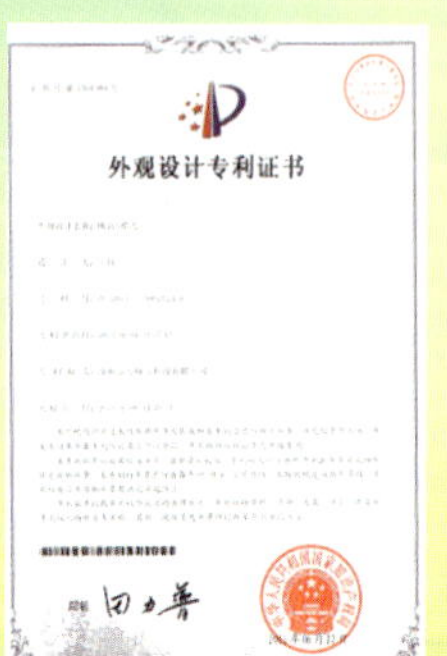

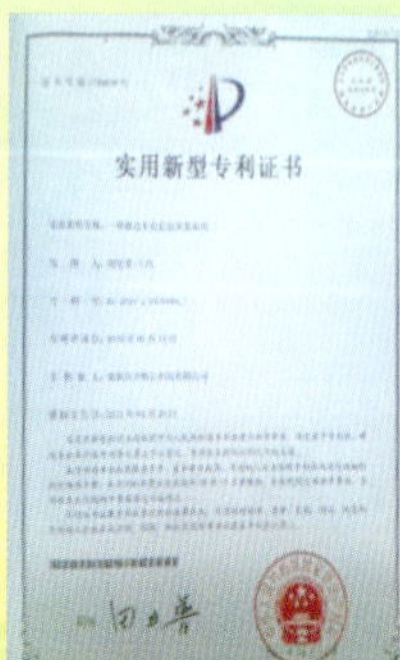

业务特点>>>

船舶及海洋工程抵押融资

在船舶及海洋工程已经下水，产权明晰，未设定抵押权或发生违约事件，各项检验及经营证照齐全，符合适航条件和保险公司承保要求，船东已办理船舶及海洋工程登记和抵押手续，投保的保险中将中国工商银行列为第一受益人等条件下，中国工商银行可为船东提供中长期贷款。

融资租赁融资

船舶及海洋工程融资租赁是指出租人购买承租人选定的船舶及海洋工程，享有船舶及海洋工程所有权，并将船舶及海洋工程出租给承租人在一定期限内有偿使用。在融资租赁到期时，出租人将船舶及海洋工程无偿转让或按残值出售给出租人，这就使得融资租赁具有融资和融物的双重功能。在船舶及海洋工程抵押以及受让保险收益、租约权益和船舶及海洋工程收益的前提下，中国工商银行可提供境内或境外的融资租赁贷款，为出租人提供用于购买船舶及海洋工程的贷款，或者通过结构性融资方式帮助承租人实现融资购买船舶及海洋工程的目的。

经营租赁融资

船舶及海洋工程经营租赁是出租人应承租人提出的要求，直接把船舶及海洋工程出租给承租人使用，同时为承租人提供船舶及海洋工程保养、维修服务的租赁方式。在租赁期间，承租人必须按照租约交纳船舶及海洋工程租金。租期届满，承租人可以续租，也可以按市场价格或固定价格优先购买，或者按规定条件把船舶及海洋工程退还给出租人。在船舶及海洋工程抵押以及受让保险收益、船舶及海洋工程收益和租约权益等的前提下，中国工商银行可以为境内外的船舶及海洋工程租赁公司提供所出租船舶及海洋工程的购置贷款，也可通过此方式帮助船公司实现表外融资的目的。

出口信贷支持下的船舶及海洋工程融资

对于在中国建造、出口中国以外地区的船舶及海洋工程，如果该笔出口业务获得了中国官方出口信贷机构（中国出口信用保险公司）的担保或保险，中国工商银行可以向国外购买方提供最高为合同金额80%的船舶及海洋工程购置贷款，并提供优惠的融资价格及合理的期限结构。对于中国船东向国外订造和购买的船舶及海洋工程，如果该笔业务得到船舶及海洋工程建造国的出口信贷机构支持，在船东提供本行认可的其他担保或反担保的前提下，工行可以提供转贷款或信贷担保，以及提供预付款融资或不超过合同金额20%的商业贷款。

售后回租融资

船东或船公司为了实现改善财务报表状况或减轻税务负担的目的，可以将其拥有所有权的船舶及海洋工程出售给租赁公司或其他第三方，然后再从后者租回船舶及海洋工程。中国工商银行可以帮助船东或船公司安排整个售后回租的过程，并提供期间必要的融资服务。

财务顾问服务

针对船东或船公司在新建船舶及海洋工程、船舶及海洋工程买卖、报表优化和业务重组等过程中的需要，工行可凭借船舶及海洋工程融资的专业经验，综合运用国内外市场的股权融资工具、债权融资工具、衍生金融工具和其他创新金融产品，为其提供针对其独特需求的结构化融资方案，以帮助其实现调整财务结构，降低综合融资成本，改善财务指标的目的。

● **轨道交通建设融资**

中国工商银行云南省分行积极推介和引荐，昆明市政府和中国南车联合举行工银金融租赁有限公司、南车投资租赁有限公司、昆明轨道交通有限公司《轨道首期工程项目联合融资租赁合作协议》签约仪式。工商银行云南省分行认真贯彻落实昆明市委、市政府关于昆明市“十二五”建设规划以及促进昆明市快速交通系统建设的重要部署，先后与昆明轨道交通有限公司就昆明市轨道项目首期工程签订了近70亿元的融资合同，中国工商银行开拓思路、创新融资方式，采用多元化、多渠道的融资产品为昆明市轨道交通项目筹措信贷资金，积极引荐并促成工银金融租赁有限公司与昆明轨道交通有限公司就轨道首期工程设备租赁业务达成合作意向，并签订了50亿元的《融资租赁合同》。对于构建昆明市快速交通系统，缓解城市交通供需矛盾有着重要意义。

● **现代服务业融资**

中国工商银行继续将支持现代服务业发展作为推进产业结构优化升级的战略重点，着力加大对现代服务业的金融支持。中国工商银行向现代服务业发放的贷款余额已经超过万亿，成为国内对现代服务业提供融资最多的商业银行。

中国工商银行自2008年该行将现代服务业作为信贷支持的重点领域以来，这块业务的成长势头一直十分强劲，融资余额快速增长，支持的企业涵盖了文化产业、旅游业、现代物流业、医疗卫生、新型商贸、信息服务及软件业等众多现代服务业的子行业。

中国工商银行针对物流业日益信息化、一体化的发展趋势，将金融服务和物流服务相结合，推出商品融资等物流金融模式，满足了物流企业及其上下游企业和客户综合化的金融产品需求。比如该行对国内最大物流基地企业之一的浙江传化物流创新推出了“传化物流快捷贷”等中小物流企业特色金融服务方案，灵活运用多种担保方式，为该公司三大物流基地内的数千家中小物流企业提供逾3亿元的融资。

- **船舶及海洋工程融资**

作为全球市值最大的商业银行，中国工商银行既是国内最大的船舶融资提供者，又拥有丰富的产业投资基金托管经验，在全球托管中可实现多币种、多会计准则处理。中国工商银行通过遍布全球的服务网络和适应需求的金融产品，在信贷融资、全球托管、财务顾问、国际结算、海外并购、离岸金融等领域，能够为中船基金和中国船舶业提供强有力的全方位金融支持。

中国工商银行股份有限公司

地址：中国北京市西城区复兴门内大街55号

邮编：100140

Greata

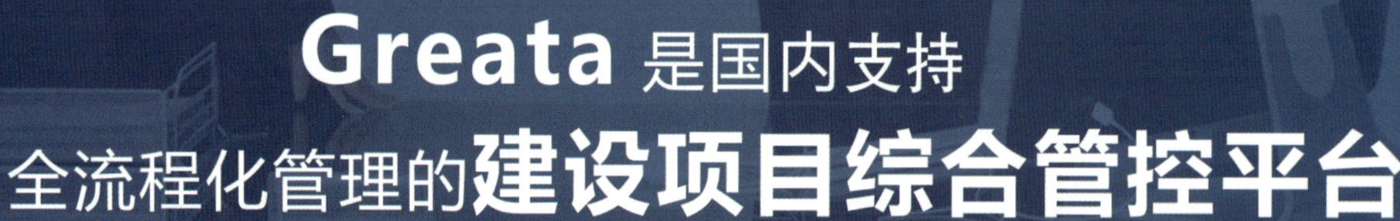
Greata 是国内支持
全流程化管理的建设项目综合管控平台

AiMS

综合运输的提醒

低碳交通是发展的大趋势

交
通运输
产生的二氧化
碳占温室气体排放
量30%以上。做交通运输
发展规划时，请先计算各备选
方案碳排放的数量，以期达到低碳交
通的发展目标。计算公式：用电的二氧化
碳排放量(Kg)=耗电量*0.785；开车的二氧化
碳排放量(Kg)=油耗公升数*0.785；坐飞
机的二氧化碳排放量(Kg)：200公里
以内=公里数*0.275；200~1000
公里=55+0.105*(公里数-200)；
1000公里以上=公里数*
0.139。请选择
绿色出
行

协办单位

国家开发银行评审一局
平安证券有限责任公司
招商局集团有限公司
北京首都机场股份有限公司
北京市首都公路发展集团有限公司
阿克苏诺贝尔（中国）投资有限公司
西安重装渭南光电科技有限公司
北京控股磁悬浮技术发展有限公司
皇明太阳能股份有限公司
福伊特驱动技术系统（上海）有限公司
巴西航空工业公司
欧直中国
空中客车（中国）企业管理服务有限公司
北京现代汽车有限公司
捷豹路虎汽车贸易（上海）有限公司
顺丰速运（集团）有限公司
塞拉尼斯（中国）投资有限公司
杭州桐庐洪风新技术新燃料开发有限公司
山东希尔韦技术有限公司
上海永久自行车有限公司
江苏宏溥科技有限公司
斯迈尔特（株洲）科技有限公司
深圳市喜联发健体科技股份有限公司
上海外高桥物流中心有限公司
中国石油集团安全环保技术研究院
呼伦贝尔金俊实业有限公司大兴安国际物流园
四川力达士石油化工有限公司
鞍山森远路桥股份有限公司
东港易成国际物流产业园有限公司
中国建设银行
中国工商银行股份有限公司